L/

Wac

Eine roman

Ebozon Verlag

Das Buch

Jane Sparkleys Leben scheint perfekt. Sie lebt in London, hat ihren Traummann gefunden, arbeitet in ihrem Traumjob, wohnt in einem Traumhaus und ist glücklich. Bis sie eines Tages von einem mysteriösen Mann mit dem Auto angefahren wird und Catherine, Janes beste Freundin nicht mehr locker lässt, den Kerl auf eigene Faust zu schnappen. Dazu wird auch noch ein wertvolles Gemälde aus dem Auktionshaus, das Jane leitet, gestohlen und das Chaos nimmt seinen Lauf. Durch Zufall kommen die beiden Frauen dem Dieb auf die Schliche, doch zu dieser Zeit wissen sie noch nicht, wie die beiden Fälle miteinander zusammenhängen und wem sie da wirklich auf der Spur sind. Und so macht ein schrecklicher Zwischenfall den beiden Frauen einen Strich durch die Rechnung...

Die Autorin

Laetitia Ahrens ist ein Pseudonym für eine in Deutschland lebende Autorin. Die Autorin befasst sich mit spannenden Romanen, die Liebe, Spannung und Krimi miteinander vereinen. »Wachgeküsst in London« ist ihr erstes Werk, welches im Ebozon Verlag erschienen ist. Als Laetitia Ahrens arbeitet die Autorin nun schon an ihrem zweiten Werk. Und man kann schon soviel verraten: Das zweite Buch wird mindestens genauso spannend wie ihr erstes Werk.

LAETITIA AHRENS

Wachgeküsst in London

Eine romantische Abenteuergeschichte

Roman

Ebozon " Verlag

Dieses Buch ist auch als eBook erhältlich.

Bibliografische Information der Deutschen Nationalbibliothek:
Die Deutsche Nationalbibliothek verzeichnet diese Publikation in der Deutschen Nationalbibliografie; detaillierte bibliografische Daten sind im Internet über http://dnb.dnb.de abrufbar.

Printausgabe 1. Auflage April 2016

© 2016 by Ebozon Verlag
ein Unternehmen der CONDURIS UG (haftungsbeschränkt)
www.ebozon-verlag.com
Alle Rechte vorbehalten.
Umschlaggestaltung: media designer 24
Umschlaggrafiken: Pixabay.com
Layout / Satz: Ebozon Verlag
Herstellung: BoD – Books on Demand, Norderstedt

ISBN: 978-3-95963-239-3

Für Robert

EINS

»Büro Robert Carlton, Carlton & Partner, was kann ich für Sie tun?«

»Hallo Casey, hier ist Jane Sparkley, wärst du so lieb und würdest mich mit Robert verbinden?«

»Aber selbstverständlich Miss Sparkley, einen kleinen Moment bitte.«

Als Jane kurz in der Warteschleife hing, ging sie nochmal kurz ihre To-do Liste des heutigen Tages durch und versicherte sich, dass sie auch nichts vergessen hatte.

»Hallo Schatz«, ertönte es am anderen Ende der Leitung. »Was kann ich für dich tun?«

»Hallo Robert, ich wollte fragen, wann du heute nach Hause kommst? Ich habe nämlich eine kleine Überraschung für dich!«

Sie wartete bis er antwortete, während er auf seine Uhr blickte. »Ich denke auf halb acht bin ich zu Hause, wäre das okay?«

»Das ist perfekt. Ich freue mich auf dich!«, mit diesen Worte legte Jane auf und lächelte, während sie ihr Blackberry im Wohnzimmer auf der Anrichte ablegte.

Jane wollte einen schönen ungestörten Abend mit Robert verbringen. Robert leitet eine großes Unternehmen im Herzen Londons. Er ist sehr erfolgreich und deshalb oft lange im Büro. Sie war schon seit zwei Jahren mit Robert zusammen und sehr glücklich.

Casey ist seine persönliche Assistentin. Jane kannte sie gut, da sie bis vor Kurzem auch noch bei *Carlton & Partner* gearbeitet hatte. Sie leitete dort zwei Jahre lang die Marketingabteilung. Vor einem Monat hatte *Carlton & Partner* 70% der Anteile von *London Auctions*, einem Londoner Auktionshaus übernommen. Einmal, als Jane und Robert an einem verregneten Tag in einem Londoner Restaurant zu Mittag aßen, schob ihr Robert eine Mappe mit Unterlagen zu.

»Was ist das?«, fragte sie ihn, während sie an ihrem Wein nippte.

»Sieh es dir an, du wirst begeistert sein!«

Jane öffnete die Mappe und nahm einen Vertrag heraus. Sie überflog ihn kurz und sogleich fiel ihr der Name »Jane Sparkley« und »als neue Geschäftsführerin von *London Auctions*« ins Auge. Sie wusste bereits von Robert, dass *Carlton & Partner* die Übernahme dieses Auktionshauses plante.

»Was?«, fragte sie und sah Robert mit großen Augen an, der bereits grinste und dem Kellner ein Handzeichen gab und mit seinen Lippen »Champagner« formte.

»Ich soll die Geschäftsleitung von *London Auctions* übernehmen?«

Insgeheim war es schon immer ihr Traum gewesen, ein Auktionshaus zu führen. Sie glaubte, sie hatte dies auch mal vor Robert erwähnt.

»Das... Das... Das wäre großartig! Ja sogar unglaublich. Natürlich... Natürlich will ich Geschäftsführerin des Auktionshauses werden!«, stammelte sie, vor lauter Überraschung und Aufregung fehlten ihr die Worte.

»Du musst nur noch unterschreiben, Schatz. Dann bist du offiziell Geschäftsführerin von *London Auctions*«, sagte Robert während er Jane einen Füllfederhalter zuschob.

»Ich weiß gar nicht was ich sagen soll, Robert! Ich bin überwältigt! *Carlton & Partner* will wirklich mich als Geschäftsführerin? Wo muss ich unterschreiben?«

»Hier unten rechts«, Robert deutete auf die Unterschriftszeile, während ihnen der Kellner zwei Gläser Champagner reichte.

Nun war sie also seit einem Monat Geschäftsführerin eines der bekanntesten Auktionshäusern in London. Sie hatte schon länger nach einer neuen Herausforderung gesucht, dies vor Robert aber nicht erwähnt. Ihr machte der Marketingjob bei *Carlton & Partner* sehr viel Spaß, sie wollte aber trotzdem noch weiter Karriere machen in ihrem beruflichen Leben. Mit dem Auktionshaus hatte Jane nun alles was sie wollte und was ihr Spaß bereitete. Sie fand, Spaß an der Arbeit ist der Schlüssel zum Erfolg. Diese Worte haben sich in ihrem Leben schon immer bewährt. Ihre Stelle als Marketingleiter in Roberts Firma übernahm nun James Richman. Er war die letzten Jahre Janes rechte Hand gewesen und war mit allem sehr vertraut. Sie war überzeugt davon, dass er seinen Job gut machen würde und bot ihm selbstverständlich an, dass er bei Fragen jederzeit zu ihr kommen konnte.

Kurz vor sieben bat Robert Casey übers Telefon, John Bescheid zu sagen, er solle seinen Wagen bereitstellen. John ist bei *Carlton & Partner* ausschließlich für den Fuhrpark zuständig.

»Selbstverständlich Mr. Carlton. Den Aston?« fragte Casey.

»Ja, den Aston. Vielen Dank Casey.« Robert legte auf und nahm seinen Aktenkoffer in seine rechte Hand. Robert ist gut aussehender Geschäftsmann, der gerne Anzüge trug. Er hatte schwarzes Haar, war groß, schlank und trug eine Brille. Sie stand ihm gut, brachte seine Persönlichkeit noch mehr zur Geltung. Er machte sich auf den Weg zum Aufzug, der von der Etage, in der sich sein Büro befand, direkt in Tiefgarage führt. Auf dem Weg dorthin verabschiedete er sich noch kurz bei Casey und wünschte ihr einen schönen Feierabend. Allen anderen Mitarbeitern, die noch im Büro waren, nickte er höflich lächelnd zu.

Als er unten in der Tiefgarage angekommen war, stand sein Aston Martin schon bereit. Er verstaute seinen Aktenkoffer im Kofferraum und stieg ein. Rechts natürlich, denn in London herrschte Linksverkehr. Er drehte den Zündschlüssel um und schloss seine Augen. Er genoss das Raunen des Motors und atmete mit geschlossenen Augen einmal tief ein. Er nahm den angenehmen Duft des teuren Leders und des exklusiven Holzes wahr, welches das Armaturenbrett umgab.

Vor Kurzem hat sich Robert einen Traum erfüllt und ein Anwesen etwas außerhalb von London gekauft. Er hatte einen Umzugsservice beauftragt, der alles recht schnell erledigte, sodass es nun aussah als wäre die Villa schon Jahre bewohnt. Robert hatte das Haus im Kolonialstil einrichten lassen. Mit dem Auto benötigte man ca. dreißig Minuten von London Mitte bis zu dem Haus. Robert bat Jane, ihre Londoner Stadtwohnung, die sie gemietet hatte, aufzugeben und zu ihm zu ziehen. Sie waren schon zwei Jahre zusammen und die meiste Zeit verbrachte Jane sowieso in seiner Penthousewohnung. Das Penthouse befand sich ganz oben im Tower von *Carlton & Partner*. Ihr 2-Zimmer-Appartement hatte sie nur noch sporadisch. Sie hatte dadurch irgendwie die Sicherheit sich zurückziehen zu können, wenn ihr danach war. Sie liebte ihre kleine Wohnung, verliebte sich aber auch auf Anhieb in das Haus, das Robert gekauft hatte. Also packte Jane ihre Kleider und Schuhe, die sie noch in ihrer Wohnung hatte und zog mit Robert in die Villa ein. Möbel besaß sie keine, da sie die Wohnung möbliert gemietet hatte. Der Vermieter meinte, es wäre kein Problem das Mietverhältnis vorzeitig aufzulösen, denn die Nachfrage war momentan sehr groß und er war großer Zuversicht, sie bald wieder vermietet zu haben. Jane war froh dies zu hören, denn nun stand ihrer Zukunft mit Robert nichts mehr im Wege.

Jane war bereits im Esszimmer, als sie das Licht der Scheinwerfer von Roberts Wagen die Auffahrt entlang fahren sah. Sie stand schnell auf, erhaschte noch einen kurzen Blick in den Spiegel, prüfte ihre Frisur und strich ihr Kleid glatt. Sie trug ein teures schwarzes Kleid von Valentino, welches Robert ihr vor einer Woche zu ihrem

25. Geburtstag geschenkt hat, dazu schwarze Stilettos von Míu Míu. Jane hatte langes blondes Haar, das sie sich für den Abend hochgesteckt hatte. Ansonsten ist sie sehr schlank, nicht allzu groß und eigentlich sehr zufrieden mit ihrem Äußeren.

Als Robert eintrat kam sie fröhlich auf ihn zu.

»Hallo Schatz«, sagte sie und küsste ihn zärtlich auf den Mund. »Schön, dass du es pünktlich geschafft hast. Ich habe Martha gebeten uns etwas zu kochen. Ich hoffe, du hast Hunger!«

Martha ist die Haushälterin und Köchin und kümmert sich um alles Organisatorische auf dem Anwesen. Robert kannte sie bereits aus Kinderzeiten, sie war seine Nanny gewesen und hatte auch im Penthouse immer nach dem Rechten gesehen. Eine wirklich tolle ältere Frau. Ihr Mann ist schon vor Jahren verstorben, ihre Kinder weit in der Welt verstreut und jetzt lebt sie allein.

Als Robert, kaum den Blick von Janes Schönheit abwenden zu können, auf den gedeckten Esstisch blickt, fällt ihm sofort die bereits entkorkte Flasche seines Lieblingsweins auf, den Jane extra in der Stadt für ihn geholt hatte.

»Mein Lieblingswein! 95er Chianti, Italien, 14%, trocken. Warst du heute bei Antonio und hast ihn extra dort gekauft?« fragte er sie.

»Ja, ich soll dir liebe Grüße bestellen. Auch von seiner Frau und dem kleinen Giovanni. Stell dir vor, er ist schon fünf Jahre alt und kommt nächstes Jahr in die Schule!«, erwiderte sie.

Antonio und seine Frau Susan sind schon jahrelange Freunde von Jane und Robert. Sie haben in der Stadt ein italienisches Feinkostrestaurant, in welches die beiden oft essen gehen.

»Danke Liebling, das freut mich wirklich sehr. Und was ist in der Schachtel, die neben meinem Teller steht?«, möchte er wissen.

»Sieh nach, das ist mein Geschenk für dich. Ich habe es entdeckt, als ich heute ein paar Besorgungen gemacht habe und musste sofort an dich denken. Da konnte ich natürlich nicht anders, als es dir zu kaufen«, entgegnete ihm Jane mit einem strahlenden Lächeln.

Behutsam öffnete er die Schachtel, indem er den Deckel nach oben klappte und sein Blick traf auf eine wunderschöne Krawatte, die in einem wunderschönen braun mit eleganten Verzierungen gehalten war.

»Ich hoffe sie gefällt dir?« fragte Jane mit einem Funkeln in den Augen. Sie wusste, dass er solche kleinen

Aufmerksamkeiten mochte und sie seinen Geschmack meist immer traf.

»Die Krawatte ist wunderschön. Vielen Dank, Liebling. Sie passt perfekt zu dem neuen Anzug, den ich letzte Woche zum Schneider gebracht habe. Du triffst einfach immer meinen Geschmack.«

Mit einem Lächeln schenkte er den Wein, den Antonio Jane gleich zu dekantieren geraten hat, in zwei Kristallgläser ein und reichte ihr ein Glas.

»Du siehst wundervoll aus«, sagte er. »Aber nun sag mir doch endlich den Grund für diesen wunderschönen Abend und warum du dir solche Mühe gemacht hast?«

»Ich wollte mich einfach nur bei dir bedanken, Robert«, erklärte sie. »Du hast es mir ermöglicht Geschäftsführerin bei *London Auctions* zu werden, du hast es mir ermöglicht in das tolle Haus hier mit dir zu ziehen. Ja, du hast mein Leben eigentlich zu dem gemacht, was es jetzt ist und dafür wollte ich einfach einmal ›Danke‹ sagen.«

»Aber Jane, ich liebe dich und für mich war von vorne herein klar, als ich das Haus kaufte, dass du mit mir hier einziehst. Und du bist gut in deinem Job, da ist es nur selbstverständlich, dass du so eine Position erhältst. Das mache ich sehr gerne für die Frau meines Lebens. Ich sollte Michael eine Gehaltserhöhung geben, wenn er nicht gewesen wäre, hätte wir uns vor zwei Jahren gar nicht kennen gelernt.«

Michael war Prokurist bei *Carlton & Partner* und Roberts Stellvertreter. Er war derjenige, der damals die Marketingstelle neu besetzt hat und bei dem Jane ihr Vorstellungsgespräch hatte. Oh Gott, war sie nervös vor diesem Tag. *Carlton & Partner* war für sie schon immer ein Begriff und sie hatte gerade ihr Studium in Cambridge beendet, als sie die Stellenausschreibung in der »The Times« gelesen hatte. Jane hat sofort dort angerufen und wurde sogleich von der Telefonistin wieder abgewiesen.

»Nur schriftliche Bewerbungen werden erwünscht«, meinte diese.

Nun gut, dachte Jane sich, dann eben schriftlich. Sie stellte mit viel Sorgfalt all ihre Unterlagen zusammen und warf den Umschlag bei *Carlton & Partner* in den Briefkasten.

Etliche Wochen vergingen und als sie schon gar nicht mehr darüber nachgedacht hatte, wurde ihr ein Brief zugestellt.

CARLTON & PARTNER, London stand auf dem Absender. Mit zittrigen Händen öffnete sie den Brief und starrte auf die Zeilen, die ihr ein gewisser Michael Graham zukommen lies. Sie solle in zwei Tagen um

16

09:00 Uhr bei ihm erscheinen. Erst nach mehrmaligem Lesen begriff Jane den Inhalt.

Ein Vorstellungsgespräch bei *Carlton & Partner*! Sie war ganz aus dem Häuschen.

Zwei Tage Nervosität, an denen Jane weder gegessen noch geschlafen hatte und Vorbereitung auf das Vorstellungsgespräch, und sie hatte den Job! Sie konnte damals ihr Glück kaum fassen und arbeitete sich recht schnell bis zur Marketingspitze hoch.

So lernten Robert und Jane sich auch kennen. Bei *Carlton & Partner* gab es für die Führungskräfte jede Woche Montags ein Meeting, bei dem auch Robert meist anwesend war. Jane kannte ihn bereits aus Zeitungen, hatte aber seither noch keinen persönlichen Kontakt zu ihm. Nach mehreren Meetings und intensivem Blickkontakt zwischen ihr und Robert, kam er eines Tages nach dem Montag-Meeting auf sie zu und lud sie für den Abend im »Le Gavroche« zum Essen ein. Er war ein attraktiver Mann und die Einladung überraschte Jane zuerst.

»Ja, sehr gerne Mr. Carlton. Sehr gerne...«, stammelte sie.

»Gut«, sagte er. »Ich hole Sie um acht Uhr ab.«

»Aber wissen Sie denn wo ich wohne?«, fragte sie ein wenig überrascht.

»Selbstverständlich weiß ich, wo Sie wohnen, Miss Sparkley.«

Jetzt, zwei Jahre später wohnte sie mit ihm sogar hier in diesem Anwesen.

ZWEI

»Ich sage Martha kurz Bescheid, dass sie nun das Essen auftragen kann. Ich bin gleich wieder zurück.«

Robert legte in der Zwischenzeit eine seiner Lieblings-CDs auf. Richard Clyderman – The very best of. Im Esszimmer befand sich ein offener Kamin, indem ein schönes Feuer brannte. Es lies das Zimmer warm und gemütlich erscheinen.

Als Jane zurück kam reichte Robert ihr ein Glas mit Rotwein und stoß mit ihr an. »Auf dich, Liebling und auf deine neue Aufgabe als Geschäftsführerin von *London Auctions.*«

»Auf uns«, sagte Jane und trank einen kleinen Schluck Wein.

Martha servierte ihnen das Essen. »Ich wünsche einen guten Appetit. Kann ich sonst noch etwas für Sie tun?«, fragte sie, während sie die Teller vor ihnen auf den dunklen Holztisch stellte.

»Vielen Dank Martha. Das duftet wirklich herrlich. Sie können jetzt Schluss machen und nach Hause fahren«, sagte Robert.

»Sehr wohl. Schönen Abend und bis morgen. Gute Nacht!« somit war Martha verschwunden.

Das Essen duftete wirklich herrlich. Sie hatte ein Rindersteak mit kleinen Kartoffeln, einer himmlisch duftenden Soße und gemischtes Gemüse angerichtet. Der Wein passte perfekt zu dem Steak. Robert und Jane wünschten sich einen guten Appetit und begannen zu essen. Das Fleisch war innen noch ein wenig rosa, so wie Robert es mochte. Es war zart und zerging auf der Zunge.

Während des Essens unterhielten die beiden sich ein wenig über die Arbeit, Robert musste am nächsten Tag für vier Tage eine Geschäftsreise nach Nizza antreten. Leider konnte Jane ihn nicht begleiten, da es die Arbeit im Auktionshaus momentan nicht zuließ. Für die nächsten zwei Monate standen mehrere große Auktionen an, die es hieß, bis in kleinste Detail vorzubereiten. Jane machte die Arbeit und das Organisieren großen Spaß und ihre Mitarbeiter unterstützten sie tatkräftig dabei. Neben dem Organisieren der Auktionen musste sie auch noch Geschäftstermine mit Künstlern abhalten, die vorhatten Ihre Werke durch unser Auktionshaus versteigern zu lassen. So eine Auktion war immer ein großes Event mit vielen wichtigen Persönlichkeiten. Kontakte waren in der heutigen Zeit sehr wichtig. Zum Glück konnte Jane jetzt davon profitieren, dass sie und Robert schon mehrmals solche Veranstaltungen besucht hatten.

»Das Essen war wirklich großartig«, sagte sie zu Robert und setzte sich auf seinen Schoß.

»Ja, das stimmt. Martha ist wirklich die beste Köchin auf der ganzen Welt. Vielen Dank nochmal für die Krawatte. Ein wirklich sehr schöner Abend war das heute.«

Sie flüsterte ihm ins Ohr, dass der Abend gleich noch viel schöner werden würde und küsste ihn zärtlich am Hals entlang.

»Lass uns ins Schlafzimmer gehen«, flüsterte er zurück. »Ich habe mich schon den ganzen Tag auf dich gefreut.«

Robert trug sie küssend ins Schlafzimmer und stieß mit dem Fuß die Tür auf. Draußen war es bereits dunkel und gedämmtes Licht erfüllte den Raum. Das Schlafzimmer bestand aus einem großen Bett, dass Robert extra aus Frankreich hatte einfliegen lassen. Neben dem Bett stand ein Schminktisch aus dunklem Holz mit Spiegel. Er hatte ihn Jane zum Einzug geschenkt. Das Schlafzimmer war eher dunkel gehalten. Robert lies Jane aufs Bett fallen und sie genoss die Nähe, die sie die nächsten Stunden gemeinsam haben werden.

Als Jane am nächsten Morgen aufwachte, war Robert bereits im Bad. Die Uhr verriet, dass es erst halb acht war und ihr Termin war erst um zehn Uhr. Zufrieden drehte sie sich nochmal um und kuschelte sich weiter in die Kissen. Robert kam herein und es roch herrlich nach Kaffee und frischen Croissants. Er gab ihr einen Kuss auf die Stirn.

»Guten Morgen Liebling, ich habe dir Frühstück gemacht.«

»Guten Morgen! Mmh, das duftet aber lecker. Frühstücken wir zusammen?«

»Nein tut mir leid, ich muss vor meinem Flug noch ins Büro. Treffen wir uns mittags im *London Heathrow Airport*? Mein Flug geht um zwei Uhr nachmittags.«

Jane gab Robert einen Abschiedskuss und trank einen Schluck Kaffee. Auf dem Tablett lag eine schöne gelbe Rose, gepflückt aus dem Garten, wie sie vermutete. Robert wusste es Jane zu verwöhnen. Sie frühstückte, duschte und zog ein schwarzes Kostüm und eine weiße Bluse an. Ihre Haare föhnte sie trocken und glättete sie mit einem Eisen. Sie schlüpfte in ihre Prada Pumps, nahm ihre Handtasche zur Hand, Griff nach Blackberry und Autoschlüssel und zog hinter sich die Tür zu.

Jane fuhr einen dunkelroten Maserati und parkte ihn in der Tiefgarage des Auktionshauses. Oben angekommen begrüßte sie Catherine mit einem Küsschen links und rechts.

»Guten Morgen Jane!«, sagte sie. »Es gibt viel zu tun! Mrs. Meyers verspätet sich eine halbe Stunde, sie hat soeben angerufen. Den Konferenzraum im ersten Stock habe ich bereits herrichten lassen.«

»Hallo Catherine«, lächelte sie Catherine an. »Das ist toll danke. Gehen wir nach dem Termin zusammen was essen? Ich hätte heute Lust auf Chinesisch.«

»Klar«, meine Catherine. »Ich bestelle uns sofort einen Tisch auf deinen Namen.«

Jane verschwand in ihrem Büro und zog hinter sich die Tür zu.

Catherine war ihre Assistentin und mittlerweile auch beste Freundin geworden. Sie arbeitete schon seit Jahren im Auktionshaus und kannte es, wie ihre eigene Westentasche. Catherine war in etwa so alt wie Jane, hatte dunkelbraunes, langes Haar, das sie heute in Locken gelegt hatte. Sie hatte große dunkle Augen und ein freundliches Lächeln. Sie trafen sich häufig auch privat, gingen zusammen zur Maniküre, zum Yoga oder auch oft abends was trinken. Catherine war mit Tom zusammen. Tom ist der beste Freund von Robert. Es war schön, zu viert etwas zu unternehmen.

Jane nutzte die halbe Stunde in ihrem Büro um ihre E-Mails und sonstigen Papierkram durch zu sehen.

Nichts besonderes dabei, dachte sie sich, als es an ihrer Tür klopfte.

»Herein«, sagte Jane freundlich und wartete bis sich die Tür öffnete.

»Mrs. Meyers, schön Sie zu sehen«, sagte sie. »Bitte folgen Sie mir in den Konferenzraum, dort können wir alles weitere besprechen.«

Mrs. Meyers war eine begnadete Künstlerin. Ihre Exponate waren in den hohen Kreisen sehr begehrt. Ein Bild von ihr brachte bei der letzten Auktion sogar sieben Million Pfund ein. Mrs. Meyers hatte vor, demnächst wieder eines ihrer wertvollen Gemälde bei einer Auktion versteigern zu lassen.

Nach dem Termin gingen Jane und Catherine zusammen in die Tiefgarage und fuhren mit Janes Wagen zum Chinesen um die Ecke. Es war der beste in der Stadt und Jane liebte die Ente und die gefüllten Curry-Taschen als Vorspeise.

Sie bestellten und Catherine fragte Jane aufgeregt: »Und, wie ist dein Abend verlaufen? War alles so, wie du es dir vorgestellt hast?«

»Ja, es war wunderschön. Es war alles so perfekt; das Essen, der Wein, die Musik, der Se....«, verlegen hielt sie inne.

»Der Sex«, vollendete Catherine den Satz.

»Ja auch der Sex...«, sagte Jane.

DREI

Catherine nahm kein Blatt vor den Mund und Jane mochte ihre offene Art. Während des Essens unterhielten sie sich noch detailliert über den vergangenen Abend und als Jane Catherine nach dem Essen wieder im Auktionshaus abgesetzt hatte, machte sie sich auf den Weg zum *Heathrow Airport.*

Als sie dort ankam sah sie Robert bereits, wartend mit seinem Koffer.

»Sorry, das ich zu spät bin«, rief Jane ihm zu und lief auf ihren Prada Pumps in seine Richtung.

»Nein, du bist nicht zu spät!«, entgegnete er. »Du kommst genau richtig.«

Sie gingen in den Flughafen und tranken in einem kleinen Café noch einen Tee, bevor Robert eincheckte.

Jane verabschiedete ihn und gab ihm einen langen und innigen Kuss. Sie war ein bisschen traurig.

»Hey, das ist doch kein Abschied für immer!«, sagte er. »In vier Tagen bin ich doch wieder zurück.«

»Ich weiß, aber..... ich vermisse dich trotzdem. Ruf an wenn du gelandet bist, ja?«

Als Robert durch das Gate ging, winkte sie ihm noch einmal nach und machte sich auf den Weg zurück zu ihrem Auto. Sie kramte die Autoschlüssel aus ihrer Tasche hervor und stieg ein, als ihr Handy klingelte.

Jane stellte um auf die Freisprecheinrichtung und nahm ab.

»Jane, kommst du nochmal ins Auktionshaus?«, wollte Catherine wissen. »Ich hätte noch ein paar Unterlagen für dich zu unterzeichnen und danach könnten wir gemeinsam zum Yoga gehen?«

»Okay, mach ich. Bis gleich!«, sagte Jane und legte auf.

Als Jane am Auktionshaus ankam, entschied sie sich gegen die Tiefgarage und stellte ihren Wagen an der gegenüberliegenden Straßenseite ab.

Sie packte ihren Kram in die Tasche und stieg aus. Es war reger Verkehr auf der Straße und sie hatte Probleme die Straße zu überqueren. Jane sah, dass ein schwarzer Wagen ihr entgegenfuhr und anzuhalten scheinte. Also lief sie los. Doch im gleichen Moment fuhr auch der Wagen los. Jane war wie gelähmt, wusste nicht ob sie stehen bleiben oder laufen, schreien oder schweigen sollte. Sie sah ihn mit großen Augen und offenen Mund an. Aber alles was sie sah, war ein furchteinflösendes Gesicht am Steuer, das mit voller Absicht auf Jane zuraste. Sie hörte Reifen quietschen und merkte wie sie zu Boden gerissen wurde.

Als Jane wieder zu sich kam, standen viele Leute um sie herum und Catherine war über sie gebeugt.

»Oh mein Gott, Jane!«, rief sie mit tränengetränkten Augen. »Hast du Schmerzen? Kannst du deine Beine bewegen?«

Jane versuchte sich zu orientieren und ihre Beine zu bewegen. Sie hatte höllische Schmerzen im linken Fußgelenk.

»Mein Fuß«, sagte sie und in ihrem Kopf machte sich ein Stechen breit. »Was ist denn passiert?«

»Du wurdest angefahren, Jane!«, gab Catherine ihr als Antwort. »Der Notarzt ist schon unterwegs und die Polizei auch. Wir finden das Schwein!«

Angefahren? Sie? Mit Absicht? Aber wer würde denn so etwas tun? Jetzt konnte sie sich wieder vage an das Gesicht erinnern, dass am Steuer saß. Er sah schrecklich böse aus und Jane erinnerte sich an den Hass in den Augen des Mannes. Ihr lief es kalt den Rücken hinunter.

»Wo ist Robert?«, fragte sie nachdenklich. Aber im selben Moment fiel ihr ein, dass Robert ja auf den Weg nach Nizza war. »Nein, Robert sitzt im Flieger«, vollendete sie den Satz. Oh Gott, sie wäre jetzt vier ganze Tage ganz alleine. Sie hatte Angst alleine in dem großen Haus.

Catherine machte einen wahnsinnigen Aufstand, wo denn nur der Krankenwagen bleiben würde. Jane lag immer noch auf dem Boden. Jemand hatte ihr eine Jacke und den Kopf geschoben, damit sie nicht direkt auf dem Asphalt lag. Sie drehte ihren schmerzenden Kopf nach rechts und sah einen ihrer Schuhe neben sich liegen. Er hatte keinen Absatz mehr!

»Oh nein!«, schrie sie.

»Um Gottes Willen, was ist?«, wollte Catherine wissen.

»Der Stöckel von einem meiner Prada Pumps ist abgebrochen!«, erwiderte Jane.

»Wir kaufen neue, Süße. Das versprech ich dir«, tröstete sie Catherine.

Der Notarzt kam endlich und nahm Jane auf einer Bare mit ins Krankenhaus. Nach kurzen Routineuntersuchungen, wie Blutdruckmessen und ihre Knochen auf Brüche zu untersuchen, legte er ihr einen Stützverband um ihren linken Knöchel. Desweiteren hatte Jane einige Schürfwunden am Kopf, den Armen und Beinen und eine Gehirnerschütterung, wie die Ärzte im *St. Thomas' Hospital* feststellten. Sie müsse für die kommenden Tage zur Beobachtung hier bleiben, erklärte ihr einer der Ärzte.

Während den Untersuchungen warteten Catherine und Tom im Krankenhausflur auf den Stühlen, die wie Kinosessel an die Wand geschraubt waren. Sie waren schrecklich unbequem und der Kaffee, den Tom aus dem Kaffeeautomaten geholt hatte, schmeckte ekelhaft.

»Wo bleibt die verdammte Polizei?«, schimpfte Catherine. »Wenn man die Idioten mal braucht, sind sie nicht da.«

»Catherine beruhig dich!«, beschwichtigte sie Tom. »Du weißt doch gar nicht ob es ein Anschlag war oder einfach nur ein Unfall.«

»Doch das weiß ich! Ich habe aus dem Fenster gesehen, als ich Jane ankommen sah und habe genau gesehen wie das Schwein einfach auf sie zugerast ist. Ich bin sofort nach draußen gerannt, doch da war es schon zu spät!« Catherine war ganz außer sich vor Aufregung und lief den Krankenhausflur auf und ab.

»Auch wenn du es mir nicht glaubst, Tom! Das war Absicht! Ich habe die hasserfüllten Augen des Mannes gesehen, der am Steuer saß. Es war ein schwarzes großes Auto. Ich wollte unbedingt zu Jane und habe nicht wirklich auf das Kennzeichen geachtet. Sonst hätten wir das Schwein sofort. Alles was ich noch weiß ist, dass die beiden Ziffern eine 5 und eine 3 waren. Aber es gibt tausende von Schildern mit der Nummer 53.«

»Du meinst es also ernst, Cathy?«

»Ja natürlich meine ich es ernst. Wir müssen das Schwein finden, Tom! Er wollte Jane umbringen! Und wir müssen Robert Bescheid sagen. Der sitzt im Flieger nach Nizza und weiß noch überhaupt nichts von alle dem.«

Nun kamen endlich Polizeibeamte den Flur entlang auf Catherine und Tom zu.

»Okay Cathy, ich versuche Robert zu erreichen und du erzählst alles ganz genau den Beamten. Ich bin gleich zurück.«

Tom wählte Roberts Nummer doch es antwortete nur die Mailbox. Robert saß noch im Flieger und sein Handy war natürlich ausgeschaltet. Tom hinterließ eine kurze Nachricht und ging zurück zu Catherine und den Polizisten.

Catherine hatte schon alles ganz genau erzählt, auch dass die Zahl auf dem Nummernschild des schwarzen Autos *53* war und die Polizisten haben es zu Protokoll genommen.

»Bevor wir hier etwas unternehmen können, Miss Parker, müssen wir noch die Aussage von Miss Sparkley aufnehmen und Sie müssen ein Phantombild erstellen. Sind Sie dazu in der Lage?«, fragte einer der Cops.

»Ja das bin ich. Ich weiß ganz genau wie das Schwein aussieht. Er hatte dunkle Haare, trug eine dunkle Jacke und hatte soviel Hass in den Augen, soviel Hass habe ich noch nie auf einem Fleck gesehen.«

»Gut. Bitte kommen Sie morgen auf die Wache, damit wir ein Bild erstellen können.«

Catherine fragte Tom, ob er Robert erreicht habe aber Tom schüttelte den Kopf. »Ich habe Robert eine Nachricht auf der Mailbox hinterlassen. Wahrscheinlich sitzt er noch im Flieger.«

»Ich muss unbedingt nach Jane sehen. Wir sehen uns später zuhause, ja!?« Sie gab Tom einen Abschiedskuss und machte sich auf den Weg.

Jane bekam ein leichtes Schmerzmittel verabreicht und wurde auf ihr Zimmer gebracht. Sie war heilfroh, als Catherine in ihrem Zimmer auf sie wartete.

»Jane!«, rief Catherine und kam auf sie zu. »Wie geht es dir? Hast du Schmerzen?«

»Es geht schon. Ich habe immer noch höllische Kopfschmerzen aber ich habe ein Schmerzmittel bekommen.«

Die Krankenschwester fuhr das Bett an die Wand und verließ das Zimmer. Catherine setzte sich und überlegte, wie sie Jane nun erzählen sollte, das es sich nicht um einen Unfall sondern einen Anschlag handelte.

»Jane, hör zu, ich muss dir etwas sagen. Der Unfall...«

»Das war kein Unfall«, unterbrach Jane sie. »Das war Absicht. Der Kerl ist absichtlich auf mich zugerast.« Ihre Augen füllten sich mit Tränen. »Ich glaube, der Kerl wollte mich umbringen, Cathy!«

Catherine nahm Jane in den Arm. »Ich weiß. Ich habe gesehen wie du vor dem Auktionshaus geparkt hast und habe aus dem Fenster geschaut als der Anschlag passiert ist. Ich bin gleich raus gerannt, aber der Wagen ist einfach weggefahren. Ich konnte lediglich zwei Ziffern vom Nummernschild erkennen. Die Polizei war auch schon hier. Ich habe denen alles erzählt und morgen muss ich auf die Wache kommen, um ein Phantombild zu erstellen.«

Jane konnte es nicht glauben. Sie hatte gehofft, sich alles nur eingebildet zu haben. Aber Catherine hat auch gesehen, dass sie jemand umbringen wollte. Jane griff zum Telefon. »Ich muss Robert anrufen.«

»Das hat Tom schon versucht, Jane. Robert hat sein Handy ausgeschaltet. Vermutlich sitzt er noch im Flieger. Versuch doch ein bisschen zu schlafen. Tom hat ihm eine Nachricht hinterlassen. Er wird sich auf jeden Fall melden, sobald er sie abhört.«

»Ok. Vielleicht hast du Recht.« Catherine gab Jane einen Kuss auf die Stirn und verließ das Zimmer. Aber Jane hatte keine Ruhe. Sie hatte solche Angst. Was wäre, wenn der Typ ins Krankenhaus käme, weil er sein Ziel ja nicht erreicht hatte? Jane konnte jetzt nicht schlafen. Sie wollte am liebsten aufstehen. Aber dafür war sie zu schwach. Sie griff nochmal zum Telefon und wählte Roberts Nummer. Einerseits wollte sie Robert nicht beunruhigen, aber andererseits wollte sie, dass er sofort den nächsten Flieger nach Hause nahm. Sie wartete bis die Telefonanlage nach draußen gewählt hatte, aber es meldete sich wieder nur die Mailbox. Jane legte auf und starrte an die Decke. Sie hatte solche Kopfschmerzen, dass sie gar nicht klar denken konnte.

Als Catherine das Krankenzimmer verließ, war sie noch immer fest entschlossen, den schwarzen Wagen und den Kerl zu finden, der Jane das angetan hatte. Sie ging zielstrebig auf das Schwesternzimmer zu und wies die Schwestern an, keinen in Janes Krankenzimmer zu lassen, der sich nicht ausweisen konnte. Nur Robert Carlton solle Zutritt haben, da er Janes Lebensgefährte ist. Die Schwestern bejahten dies und Jane machte sich auf dem Weg zum Parkplatz. Auf dem Weg dorthin tippte sie Toms Nummer in ihren Blackberry und fragte ihn, ob er mittlerweile Robert erreichen konnte. »Nein, er ist nicht erreichbar. Es meldet sich immer nur seine Mobilbox. Wie geht's Jane?«

»Es geht ihr den Umständen entsprechend gut. Hör zu Tom, ich bleibe noch bei ihr, ich habe ein ungutes Gefühl sie allein zu lassen, solange Robert noch nicht wieder zurück ist, ok?!«

Catherine legte auf und stieg in ihren Wagen. Sie hatte wirklich ein ungutes Gefühl Jane alleine zu lassen, hoffte aber, dass die Krankenschwestern ihrer Anweisung nachgingen und Jane somit sicher war. Catherine wollte unbedingt den Kerl finden. Sie fuhr los. Ihr erster Weg führte sie zu der Polizeistation, wo sie morgen einen Termin wegen dem Phantonbild hatte. Sie wollte es gleich erledigen. Sie hatte Angst um Jane.

Jane starrte immer noch an die Decke und überlegte, wer ihr das hätte antun können? Ihr viel partout keiner ein. Sie hatte keine Feinde. Sie hatte keine Neider und sie hatte mit niemanden Streit. Als es an der Tür klopfte zuckte sie zusammen, aber es war nur der Arzt, der kurz nach dem Rechten sah. Er gab Jane ein Schlafmittel, damit sie sich etwas ausruhen konnte.

Als Catherine bei der Polizei ankam, fragte sie Mr. Tucker, der die Ermittlungen in diesem Fall leitete, ob er schon zu Jane konnte, oder ob sie noch etwas Ruhe brauchte. Catherine erklärte ihm, dass es wohl besser sei,

Jane eine Nacht darüber schlafen zu lassen und sie erst morgen bezüglich ihrer Aussage aufzusuchen. Catherine fragte nach der Erstellung des Phantombildes, aber Mr. Tucker meinte, dass der zuständige Kollege schon Feierabend gemacht habe und erst morgen Vormittag wieder in der Polizeidienststelle sein würde. Catherine fragte, was sie denn jetzt unternehmen wollen, schließlich ist der Mann gefährlich und ob sie schon eine Fahndung rausgegeben haben. Mr. Tucker erklärte ihr, dass zuerst die Aussagen aller Zeugen aufgenommen werden müssen, dann ein Phantombild erstellt werden muss und erst anschließend könne eine Fahndung rausgegeben werden. Dies konnte allerdings noch zwei bis drei Tage dauern, da die Polizei erst Genehmigungen für diesen Schritt einholen musste.

Zwei bis drei Tage, dachte Catherine. Bis dahin konnte der Kerl ja schon über alle Berge sein und sich abgesetzt haben oder noch schlimmer, er könnte in der Zeit Jane wer weiß was antun. Solange konnte sie nicht warten. Sie verabschiedete sich und fuhr ziellos durch die Gegend. Sie wusste nicht, wo sie zu suchen beginnen sollte. Also fuhr sie einfach herum und hielt die Augen offen.

VIER

Es wahr schon morgens, als Catherine wieder bei Jane im Krankenhaus ankam. Auf dem Weg hatte sie eine Tüte Donuts gekauft. Als sie Janes Zimmer betrat, schlief Jane noch. Catherine saß auf dem Stuhl neben dem Bett, als Jane aufwachte.

»Guten Morgen Jane! Wie geht es dir? Hast du gut geschlafen?«

»Catherine! Ich bin froh, dass du da bist. Au, mein Kopf tut immer noch sehr weh. Habt ihr Robert erreicht?«

»Nein noch nicht.« Catherine wusste das, weil sie kurz vorher mit Tom telefoniert hatte.

»Vielleicht ist es besser so und wir sollten Robert erst die Wahrheit sagen, wenn er wieder zurück ist. Schließlich sind die Termine wichtig.«

»Aber du bist wichtiger Jane! Auf keinen Fall werden wir es Robert verheimlichen. Sobald wir ihn erreichen soll er zurück nach London kommen.«

»Ich habe Angst Catherine. Was ist, wenn der Typ hier auftaucht?«

»Das wird nicht passieren. Ich habe den Schwestern verboten irgendwelche fremden Personen zu dir zu lassen. Nur ich, Tom und Robert dürfen zu dir.«

»Weiß die Polizei Bescheid?«, wollte Jane wissen.

»Ja. Sie haben auch schon meine Aussage aufgenommen und ich muss später noch bei der Erstellung des Phantombildes helfen. Die Cops werden im Laufe des Tages bei dir vorbeikommen und auch deine Aussage aufnehmen. Die Ermittlungen leitet Mr. Tucker.«

»Du siehst müde aus Cathy. Hast du nicht geschlafen?«, fragte Jane.

»Nein, ehrlich gesagt...«

»Jetzt sag schon! Du weißt doch irgendetwas. Ich kenn dich Cathy.«

»Na gut. Also Mr. Tucker meinte irgendetwas von Genehmigungen einholen, bevor sie die Fahndung rausgeben könnten, und das würde zwei bis drei Tage dauern, usw. Und dann habe ich selber nach dem Typ gesucht. Die ganze Nacht bin ich durch die Gegend gefahren und hab nach dem Wagen Ausschau gehalten.«

»Du hast WAS!?«, Jane konnte es nicht glauben. »Bist du verrückt? Dir hätte wer weiß was passieren können.«

»Jane, ich habe gesehen, mit welch hasserfüllten Augen, dich der Typ über den Haufen gerast hat. Der meinte es ernst.«

»Ja, das habe ich auch gesehen.«, sagte Jane und Tränen liefen ihr übers Gesicht.

»Kannst du dir vorstellen, wer so etwas tun könnte? Wer hat so einen Hass auf dich?«

»Ich habe mir auch schon den Kopf zerbrochen. Ich weiß es nicht.«

Nachdem Robert in Nizza landete, nahm er sich ein Taxi zum Hotel. Er kramte in seiner Tasche nach seinem Blackberry und wollte es einschalten. Das Batteriezeichen blinkte rot und das Gerät lies sich nicht einschalten. Am Hotel *Negresco* angekommen checkte Robert ein und suchte in seiner Tasche nach dem Ladekabel für sein Handy, doch er konnte es nicht finden. Jetzt fiel es ihm ein. Es hing bestimmt noch an der Steckdose in seinem Büro. Er hatte es in London vergessen. Er bat den Concierge des Hotels ihm ein Ladekabel zu besorgen, während er seinen ersten Termin wahr nahm. Er war sowie schon spät dran, da sein Flieger vierzig Minuten Verspätung hatte.

Jane versuchte immer und immer wieder Robert zu erreichen – doch nichts. Nur die Mailbox. Sie weiß nicht mehr, wie viele Nachrichten sie schon hinterlassen hatte. Auch Tom versuchte in regelmäßigen Abständen Robert zu erreichen, aber auch bei ihm meldete er sich nicht.

Jane kramte in ihrer Tasche nach ihrem Blackberry. Es war bereits 10:00 Uhr, einen Tag nach Roberts Abflug. Er hatte ihr versichert sich zu melden, sobald er in Frankreich angekommen ist. Sie durchsuchte ihr Telefonbuch nach dem Hotel, in dem Robert während seines Aufenthalts in Nizza wohnte. Sie wählte die Nummer und der Concierge des Hotels meldete sich. In ihrem gebrochenen französisch fragte sie nach Robert. Der Concierge erklärte ihr, das Robert nicht mehr im Hotel sei. Er musste zu einem Meeting.

Das war alles was Jane verstehen konnte. Der Mann redete noch etwas von einem Handy, aber das verstand Jane nicht.

Sie bedankte sich und legte auf. Sie war traurig darüber, das Robert sich nicht bei ihr meldete. Er hatte es ihr versprochen. Auch die Beamten waren wieder weg und sie war nun wieder ganz alleine. Sie verkroch sich unter ihrer Bettdecke und versuchte die Augen zu zumachen.

Catherine war auf dem Weg nach Hause. Sie musste dringend duschen und frische Klamotten anziehen. Sie war inzwischen auf dem Polizeirevier und steckte schon über 24 Stunden in ihren Sachen. Tom hatte ihr einen Zettel auf dem Küchentresen hinterlassen, dass er Robert noch immer nicht erreichen konnte und zur Arbeit musste. Er arbeitete bei einem großen Autozulieferer und hatte Schichtdienst. Catherine sprang unter die Dusche, schlüpfte in frische Klamotten und tätigte ein paar Anrufe. Als erstes rief sie Jane im Krankenhaus an und fragte ob alles in Ordnung sei und ob sie inzwischen Robert erreicht habe.

»Nein, leider nicht. Sein Handy ist immer ausgeschaltet und als ich in Nizza im Hotel angerufen habe, konnte ich nur verstehen, das Robert in einem Termin sei. Er hat mir versprochen sich zu melden, wenn er angekommen ist. Aber das ist jetzt schon über 24 Stunden her. Und der Flug von London nach Nizza dauert höchstens 1 Stunde und 15 Minuten. Meinst du es ist ihm was passiert?« Jane erschauderte. »Oh mein Gott Cathy, was ist, wenn der Typ es auch auf Robert abgesehen hat und ihm in Frankreich etwas passiert ist?«

»Beruhig dich Jane. Das glaube ich nicht. Wahrscheinlich hat er nur vergessen dich zu informieren, weil er im Stress war.«

»Hoffentlich hast du recht.«

Als nächstes rief Catherine im Auktionshaus an. Sie erklärt was passiert ist und gab Bescheid, dass sie die nächsten Tage nicht zur Arbeit kommen konnte. Sie delegierte wichtige Aufgaben weiter und versprach sich täglich melden, um Wichtiges zu besprechen.

FÜNF

Robert war am Abend erst spät ins Hotel zurückgekommen, weil auf den Termin noch ein Geschäftsessen folgte. Als er das Hotel betrat war nur noch der Nachtportier da.

Als Robert am nächsten Morgen auf dem Weg zum Frühstücksraum war, fragte er kurz an der Rezeption nach dem Ladegerät und ob Nachrichten für ihn abgegeben wurden.

»Ja, Mr. Carlton. Eine Miss Sparkley hatte gestern versucht Sie zu erreichen. Ich habe ihr gesagt, dass Sie in einem Meeting sind und momentan nicht auf Ihrem Handy erreichbar sind, wegen dem fehlenden Ladegerät.«

»Okay, vielen Dank«, sagte Robert. »Haben Sie zufällig ein Ladegerät organisieren können?«

»Ja natürlich, Mr. Carlton. Hier bitte sehr«, er übergab Robert das Kabel.

Robert verstand alles, was der Concierge zu ihm sagte, denn Roberts Mutter ist Französin und er wuchs zweisprachig auf.

Er hing seinen Blackberry an die Steckdose in seinem Zimmer und wählte vom Hoteltelefon aus Janes

Nummer. Er versuchte es zuerst zu Hause, aber dort meldete sich niemand. Jane war wahrscheinlich schon in der Arbeit und Martha gerade einkaufen oder würde es nicht klingeln hören, weil der Staubsauger so einen Lärm machte, dachte sich Robert.

Er wählte die Nummer von Janes Büro im Auktionshaus, aber dort nahm auch niemand ab. Auch nicht Catherine, die normalerweise immer zuverlässig und auf Zack war, dachte sich Robert. Er legte auf und sah auf die Uhr. Mist, in 10 Minuten sei sein nächster Termin. Er schnappte Sakko und Aktenkoffer und verließ das Hotel.

Jane lag in ihrem Krankenzimmer und machte sich Sorgen um Robert, als ihr Handy klingelte. Erleichtert griff sie zum Telefon, weil sie dachte endlich würde sich Robert melden. Doch es war nicht Robert – es war ihre Mutter.

»Jane. Liebes! Wie geht es dir? Es ist ja schrecklich was passiert ist. Es stand heute morgen in der ›The Times‹. Ist das wahr, was in der Zeitung steht? Du bist Opfer eines Mordanschlages geworden? Warum hast du nicht sofort angerufen? Ich komme sofort nach London.«

»Beruhig dich, Mutter. Du musst nicht kommen. Catherine ist da und Robert kommt ja auch bald wieder. Du kennst doch die Zeitungen. Die verschlimmern doch immer alles«, versuchte Jane ihre Mutter zu beschwichtigen. In Wahrheit konnte Jane sich nicht mal selbst beruhigen. Erst jetzt konnte sie realisieren was eigentlich passiert ist, aber das wollte sie ihre Mutter nicht wissen lassen.

Janes Eltern wohnen zweieinhalb Stunden von London entfernt in dem Haus, in dem auch Jane aufgewachsen war. Es ist ein schönes Haus auf dem Land. Jane hatte noch eine jüngere Schwester, Valerie. Valerie studierte in New York und kommt nur einmal im Jahr, um ihre Eltern zu besuchen. Früher, als Kinder, hatten sich die beiden Schwestern oft gestritten, doch heute vermisste Jane Valerie oft sehr. Janes Mutter ist Schneiderin und hatte im Haus ihr eigenes kleines Atelier. Jane war als Kind gerne dort, um sich und ihren Puppen Kleider zu nähen. Janes Vater war Sachbearbeiter im Finanzamt, aber schon in Rente. Ungefähr einmal im Monat fuhren Robert und Jane zu ihren Eltern, um gemeinsam zu Abend zu essen. Janes Mutter machte den besten Hackbraten und den besten Schokoladenkuchen der Welt. Jane könnte dafür sterben.

»Versprich mir Liebes, dass du dich sofort meldest, wenn irgendetwas ist. Ich könnte in zweieinhalb Stunden bei dir sein.«

»Nicht nötig, Mum. Es geht mir gut, glaub mir. Ich melde mich bei dir!«, Jane legte auf.

Catherine hatte auf der Polizeiwache sofort das Phantombild in ihrer Handtasche verschwinden lassen, als der Beamte kurz nicht hinsah.

Nun war sie auf dem Weg zu einem Copyshop, um das Bild zu vervielfältigen. Anschließend fuhr Sie kurz bei einem Wal-Mart vorbei und kaufte Getränke, Donuts, Cookies, Kaffee, ein Tackergerät und Klebeband.

Als sie wieder zurück zu ihren Wagen kam klingelte ihr Handy.

»Hi Tom«, sagte sie. »Alles klar?«

»Hi Schatz, bist du noch bei Jane?«

»Ja, ich möchte sie nicht alleine lassen, bis Robert wieder da ist.«

»Ja das ist gut. Bis später!«

Oh man, dachte sie. Sie wollte Tom eigentlich nicht anlügen. Aber wenn er wüsste, was sie vorhatte, würde er sie davon abhalten.

Sie fuhr durch die Stadt und hängte an jedem Baum, an jeder Litfaßsäule, an jedem Bushäuschen, einfach überall das Fahndungsfoto von diesem Kerl auf. Sie wusste, dass der Kerl gefährlich war und es eigentlich Aufgabe der Polizei gewesen wäre ihn zu schnappen. Aber es würde noch Tage dauern, bis die Fahndung starten würde und vielleicht wäre es dann zu spät gewesen.

Zwei Stunden später hatte sie alle Fotos, die sie kopiert hatte aufgehängt und sie fuhr zu Robert und Janes Haus. Sie wollte Jane schnell ein paar Sachen zusammenpacken und jemand musste Martha Bescheid sagen. Dort angekommen, hielt Martha gerade die Zeitung in der Hand.

»Hallo Miss Parker!«, sagte Martha als sie Catherine die Tür öffnete. »Es ist schrecklich was passiert ist. Ich hab es gerade in der Zeitung gelesen. Geht es Jane denn gut? Und weiß Robert schon Bescheid?«

»Hi Martha. Ja Jane geht es einigermaßen gut. Robert konnten wir bisher leider noch nicht erreichen. Er hat immerzu sein Handy ausgeschaltet. Ich wollte ein paar Sachen für Jane abholen und sie ihr ins Krankenhaus bringen.«

»Ja natürlich, kommen Sie doch rein.«

Catherine ging in Janes Schlafzimmer und packte einige Klamotten in eine Tasche. Sie verabschiedete sich von Martha und machte sich wieder auf den Weg ins Krankenhaus. Es war bereits nach Mittag gewesen und auf dem Weg hatte sie alle Cookies und Donuts aufgegessen. Sie hatte schon seit mehreren Stunden nichts mehr vernünftiges gegessen und hatte richtig Kohldampf. Während der Fahrt rief sie im Auktionshaus an und vergewisserte sich, dass alles in Ordnung sei.

Im Krankenhaus angekommen, war sie froh Jane zu sehen und Jane war genauso froh Catherine zu sehen. In dem Moment als Catherine das Krankenzimmer betrat, klingelte Janes Telefon.

»Es ist Robert!«, rief sie. »Endlich!«

Sie nahm das Gespräch entgegen. »Robert, na endlich! Ich habe mir solche Sorgen gemacht, warum hast du dich denn so lange nicht gemeldet?«

Robert erklärte ihr, dass sein Flug 40 Minuten Verspätung hatte, er im Hotel merkte, dass er sein Ladegerät vergessen hatte und bei seinem Handy der Akku leer war. Wegen der Verspätung vom Flugzeug war er spät dran und musste sich beeilen, um es noch pünktlich zu seinem Meeting zu schaffen. Nach dem Meeting folgte ein Abendessen und als er zurück ins Hotel kam, war es schon spät. Am Morgen bekam er das geordnete Ladegerät, schloss sein Handy an und versuchte vom Hoteltelefon Jane zu Hause und im Büro zu erreichen. Er konnte nicht warten bis sein Blackberry geladen war und musste das Hotel wieder für ein Meeting verlassen. Als er nun zurück kam und das Gerät einschaltete sah er die Unmengen von Anrufen und rief sofort zurück.

»Aber nun erzähl mir was passiert ist und wie es dir geht?«

Jane fing an alles genau zu erzählen, aber als sie an der Stelle war, an der das Auto auf sie zuraste schossen ihr Tränen in die Augen und sie fing an zu schluchzen. Catherine nahm ihr das Telefon aus der Hand und erzählte Robert weiter.

»Oh mein Gott!«, rief Robert. »Catherine ich nehme die nächste Maschine zurück. Bitte bleib so lange bei Jane.«

Catherine kümmerte sich um Jane und sagte ihr, dass Robert in ein paar Stunden hier sein würde. Sie hoffte, das würde sie beruhigen. Catherine hatte ein schlechtes Gewissen, dass sie Jane die letzten Stunden alleine gelassen hatte. Aber sie musste irgendetwas tun. Sie konnte nicht nur herumsitzen und warten. Und sie konnte schon gar nicht solange warten, bis die Polizei anfangen würde zu ermitteln. Catherine hatte sich ein Prepaid-Handy gekauft und die Nummer auf den Plakaten vermerkt. Wer Hinweise hatte, solle sich dort melden.

Sie hatte das Handy in ihrer Tasche, als es klingelte.

»Ja?«, meldete sie sich zögern.

»Hier ist Mr. Tucker. Ich leite die Ermittlungen in dem Fall von Miss Sparkley.«

»Oh. Hi Mr. Tucker«, sagte Catherine.

»Miss Parker?«, fragte Tucker. »Sind Sie das? Haben Sie etwa die Suchplakate in der ganzen Stadt aufgehängt? Sie wissen, dass Sie sich nicht in die laufenden Ermittlungen einmischen dürfen. Das darf doch wohl nicht war sein!«

»Aber... Ich wollte...«, wollte Catherine erklären.

»Es ist mir egal was Sie wollten. Lassen Sie die Finger da raus, das ist gefährlich!«, mit diesen Worten legte Tucker auf.

»Wer war das am Telefon? Und was ist das überhaupt für ein Telefon?«, wollte Jane wissen, als sie sich wieder beruhigt hatte.

»Ach das... Niemand wichtiges«, winkte Catherine ab.

»Cathy lüg mich nicht an!«, sagte Jane barsch.

»Das war Mr. Tucker, der Cop.«

»Und was wollte er?«

»Nichts weiter...«

»Cathy!!«

»Na also, ich wollte ein bisschen nachhelfen, aber das hat ihm nicht so gefallen.«

»Wie meinst du das: nachhelfen?«

»Naja, ich habe das Fahndungsfoto heute morgen mitgehen lassen, es hunderte Male kopiert und überall ausgehängt! Und das fand Tucker nicht so lustig. Er wolle nicht, dass jemand in die laufenden Ermittlungen eingreift. Aber, wenn die so lange brauchen, bis die Fahndung läuft, kann ich doch nicht rumsitzen und nichts tun, wenn meine beste Freundin angefahren wurde!«

Jane musste lächeln, obwohl ihr eigentlich gar nicht zum Lächeln zumute war. Sie hatte immer noch eine Heidenangst, wollte dies aber nicht zeigen. Sie schüttelte den Kopf und nahm Catherine in den Arm.

Gemeinsam riefen sie Tom an und erzählten ihm, dass Robert die nächste Maschine nach London nehmen würde und bald da sei. Tom war erleichtert, dass sie Robert endlich erreicht hatten.

Während Jane und Catherine weiter grübelten, wer der Kerl gewesen sein konnte und Catherine insgeheim weitere Pläne schmiedete, wie sie ihn überführen könnte, packte Robert in Nizza seine Koffer und machte sich auf den Weg zum Flughafen. Er lies durch Casey alle noch anstehenden Termine bis auf weiteres verschieben.

Als Robert am Flughafen auf seinen Check-in wartete, durchforstete er sein Handy nach dem Namen »Shooter«. Shooter erledigte öfter Ermittlungssachen für Robert. Shooter war groß und hatte den Körper eines Bodybuilders. Soweit Robert wusste, hatte Shooter eine erfolgreiche Security-Firma. Genau das, was Robert jetzt suchte. Er wählte Shooters Nummer.

»Hallo Shooter, hier ist Robert Carlton«, sagte Robert, als Shooter abhob.

»Hey Rob, was kann ich für dich tun?«

Robert erklärte ihm alles was passiert ist und bat ihn den Kerl zu finden und gleichzeitig auf Jane aufzupassen. Robert wusste, dass Shooter seine Sache gut machen würde, denn er war der Beste in der Stadt. Shooter beschäftigte einige Leute unter sich; Security-Männer, Spione, Agenten, Privatdetektive, und Computerspezialisten, die sich in die erdenklich schwierigsten Systeme einhacken können. Wenn ihnen einer helfen konnte, dann war es Shooter.

»Deine Frau war das, die angefahren wurde?«, fragte Shooter. »Ich habe davon in der Zeitung gelesen.«

Sie vereinbarten, dass sich Robert nochmal bei ihm melden würde, wenn er wieder in der Stadt sei. Solange solle er einen Mann vor Janes Krankenzimmer positionieren und niemanden zu ihr lassen.

»Null problemo«, sagte Shooter und legte auf.
Robert war froh dies zu hören und checkte ein.

SECHS

»Ich gehe schnell einen Kaffee holen«, sagte Catherine zu Jane. »Möchtest du auch einen?«

»Ja gerne. Obwohl die Brühe wirklich schrecklich schmeckt.«

Als Catherine aus der Tür ging, bekam Jane eine SMS auf ihren Blackberry. Sie war von Robert: *Hallo Jane, bin in zwei Stunden in London. Habe Shooter angeheuert. Er wird zur Sicherheit einen seiner Männer vor deinem Krankenzimmer positionieren. Hab keine Angst, er passt auf dich auf.*

Draußen vor der Tür prallte Catherine mit einem großen dunkelhäutigen Typen zusammen.

»Können Sie nicht aufpassen?«, schimpfte sie und zupfte ihre Frisur zurecht. »Wer sind Sie eigentlich? Und was machen Sie vor Janes Krankenzimmer? Sehen Sie zu dass Sie verschwinden! Sonst, sonst....«

»Sonst was?«, wollte der Typ wissen.

»Sonst hole ich die Polizei«, schrie Catherine aufgebracht.

»Das ist nicht nötig«, sagte er und streckte Catherine die Hand hin. »Ich bin Jay und arbeite für Shooter.

Robert Carlton hat uns beauftragt für Miss Sparkleys Sicherheit zu sorgen.«

Verlegen strich Catherine ihren Rock glatt. »Oh«, lies sie kleinlaut verlauten und watschelte zum Kaffeeautomaten.

Als sie mit zwei vollen Kaffeebechern zurück kam, ignorierte sie Jay offensichtlich. Jay musste ein Schmunzeln unterdrücken.

»Weißt du was Jane?«, fragte sie als sie das Krankenzimmer betrat. »Robert hat dir einen Gorilla vor die Tür stellen lassen, der für deine Sicherheit sorgen soll. Er sagte, er arbeite für Shooter.«

Shooter war für jeden Londoner ein Begriff.

»Ja, Robert hat mir eine SMS geschrieben.«

»Was? Du weißt das, und sagst mir nichts? Ich hab mich vor dem Typen voll zum Affen gemacht.«

»Beruhig dich Catherine. Ich hab die Mail genau in dem Moment bekommen, als du das Zimmer verlassen hast!«

Jane war froh, dass sie Sicherheit in Form von Wachpersonal hatte. Zumindest solange bis Robert zurück sein würde.

Abends am *Heathrow Airport* angekommen, war Robert froh, bald wieder bei Jane sein zu können. Er machte sich höllische Sorgen und wusste einfach keine Erklärung für diesen Anschlag. In der Tiefgarage des Flughafens verstaute er seinen Koffer im Kofferraum und stieg in seinen Aston Martin ein. Es war reger Verkehr auf den Straßen und er brauchte einige Minuten vom Flughafen bis zum Krankenhaus.

Im Krankenhausflur begrüßte er Jay mit Handschlag und dankte ihm, dass er so schnell einspringen konnte.

»Ist doch klar Robert«, sagte Jay. »Für dich doch immer.«

Jay ist Shooters rechte Hand und kommt bei heiklen Sachen immer zum Einsatz.

»Jane, Liebling«, stürmisch trat er ans Bett und umarmte Jane. »Gott sei Dank, dass dir nicht mehr passiert ist.«

»Robert!« Sie wollte sich zusammenreißen, aber trotzdem kullerten ihr Tränen übers Gesicht. »Es war so schrecklich, Robert«, erzählte sie.

»Ganz ruhig Jane. Jetzt bin ich ja wieder da. Jay steht vor der Tür und es kann dir nichts mehr passieren. Shooter hilft uns den Kerl zu finden.«

»Ja! Wir müssen den Kerl schnappen«, fiel Catherine Robert ins Wort. »Und zwar auf eigene Faust. Wir können nicht warten, bis die Polizei anfängt. Das sind alles faule Säcke.«

»Catherine, hi!«, begrüßte Robert sie. »Danke, dass du solange bei Jane warst.«

»Catherine hat bereits *nachgeholfen*, den Kerl zu finden!«, erzählte Jane.

»*Nachgeholfen?*«, fragte Robert. »Was soll das heißen?«

»Genau das habe ich auch gefragt, als ich sie drängte es mir zu sagen.«

Catherine verdrehte die Augen. »So schlimm war es jetzt auch wieder nicht.«

»Könnt ihr mir jetzt mal sagen, was hier los war?«, wollte Robert wissen.

Catherine erzählte ihm, dass sie Angst um Jane hatte und nicht einfach tatenlos zusehen konnte, bis die Polizei die nötigen Genehmigungen eingeholt hatte. Sie erzählte ihm, dass sie in der Nacht nach dem Anschlag ziellos durch die Straßen gefahren ist und den Wagen finden wollte, aber keinen Erfolg hatte. Sie erzählte ihm auch die Geschichte mit dem geklauten Phantombild, dass sie überall in der Stadt verteilt hatte und von dem Anruf von Mr. Tucker.

»Ich verstehe das nicht!«, sagte sie fassungslos. »Die Polizei soll doch froh sein, dass ihnen jemand dabei helfen möchte.«

»Catherine, du musst mir eins versprechen«, ermahnte sie Robert. »Ab sofort lässt du die Finger davon, auf eigene Faust den Kerl zu finden. Wir wissen über ihn gar nichts. Wir wissen nicht, ob er bewaffnet ist und mehr als die zwei Ziffern auf seinem Wagen kennen wir auch nicht. Der Typ ist gefährlich! Und außerdem haben wir Shooter. Er wird den Kerl finden. Da wird die Polizei zwar auch nicht gerade begeistert davon sein, aber es ist Shooters Job. Ich werde mit Tucker reden und ihm das erklären.«

Jane hörte den beiden zu und bei dem Lärm fing es in ihrem Kopf wieder an zu hämmern. Sie fragte Catherine, ob sie bei der Krankenschwester nach weiteren Schmerztabletten fragen konnte.

Als sie das Krankenzimmer verließ, ignorierte sie Jay wieder so offensichtlich, dass er sich ein Lachen diesmal nicht verkneifen konnte. Beleidigt eilte Catherine an ihm vorbei.

Robert setzte sich zu Jane aufs Bett. »Es tut mir so leid, dass ich dich allein gelassen habe, Jane.«

»Aber dafür kannst du doch nichts. Du konntest ja nicht wissen, dass mich in der Zeit deiner Abwesenheit jemand ermorden will.«

»Und es tut mir leid, dass ich mich so lange nicht bei dir gemeldet habe. Es war einfach blöd, dass ich mein Ladegerät vergessen hatte und der Akku leer war.«

»Du hast dein Ladegerät vergessen?«, fragte Jane.

»Ja! Das hat dir der Concierge doch gesagt, als du im Hotel angerufen hast.«

»Ach, jetzt verstehe ich! Der Mann sagte etwas von einem Handy, aber ich konnte ihn nicht verstehen.«

Robert gab Catherine einen Kuss.

»Meine Mutter hat heute morgen auch schon angerufen. Sie hat es in der Zeitung gelesen. Sie wollte gleich nach London kommen, aber ich konnte sie davon abhalten. Ich habe ihr gesagt, es sei nicht so schlimm und dass du ja bald wieder da sein würdest.«

»Wir kennen doch deine Mutter. Seit Valerie soweit weg ist, bist du eben wieder diejenige, um die sie sich kümmern möchte.«

»Ja ich weiß. Aber sie wäre jetzt einfach nicht die richtige. Ich könnte ihre Art jetzt nicht ertragen. Das würde mich alles viel zu sehr anstrengen.«

»Ja, da hast du recht. Weißt du was? Ich rufe sie später an und sage ihr, dass es dir gut geht und ich mich um dich kümmere, okay?«

»Okay.« Jane war froh Robert wieder bei sich zu haben.

Es klopfte an der Tür und Jane kam mit einem Arzt zurück.

»Miss Sparkley, wie geht es Ihnen denn? Sie haben nach Schmerztabletten gegen Ihre Kopfschmerzen gefragt. Wenn Sie wollen, kann ich Ihnen die Schmerzmittel mitgeben und dann dürfen Sie nach Hause.« Der Arzt war etwas älter und sehr freundlich.

»Wirklich? Ich darf schon nach Hause? Das ist ja toll!«

Jane nahm dieses Angebot natürlich ohne zu zögern an. Sie wollte keine Sekunde länger in dem alten Kasten bleiben.

Catherine half Jane ihre Sachen zu packen und Robert sagte Jay Bescheid, dass er nun Feierabend machen konnte. Jay musste nicht mitkommen und vor der Villa Wache halten, denn das Haus war mit den neuesten Sicherheitssystemen ausgestattet. Darauf hatte Robert geachtet. Robert ging nach unten und holte schon einmal den Wagen. Jane musste sich schonen und dürfte auf keinen Fall auf ihren Fuß auftreten. Deshalb bekam sie

Krücken mit auf den Weg. Am Auto verabschiedeten sich Catherine und Jane und Jane sagte: »Ich besuche dich morgen zu Hause! Ruh dich schön aus und lass dich von Robert richtig verwöhnen!«

»Ja das mache ich. Danke für alles.«

»Ach Catherine!«, rief Robert ihr aus dem Wagen zu. »Und unternimm' nichts, um den Kerl zu finden! Halt dich da raus.«

»Ja, ja. Schon gut.«

Auf dem Weg nach Hause rief Robert Mr. Tucker an und erklärte ihm, dass er Verstärkung von Shooter in diesem Fall bekommen würde. Begeistert war Tucker davon nicht gerade, aber er willigte ein.

»Aber jeder Schritt wird vorher mit mir abgesprochen«, war die Bedingung von Mr. Tucker.

»Aber selbstverständlich Mr. Tucker«, flunkerte Robert und legte auf. Robert wusste, dass Shooter seine ganz eigenen Methoden hatte. Auch wenn sie oft nicht ganz rechtmäßig waren, Shooter knackte jeden Fall.

Zu Hause angekommen trug Robert Catherine ins Haus und legte sie auf die große Couch im Wohnzimmer. Er holte noch schnell die restlichen Sachen aus dem Wagen und schaltete die Alarmanlage scharf. Jane war froh wieder in vertrauter Umgebung zu sein. Und am meisten freute sie sich auf richtigen Kaffee. Die Brühe im Krankenhaus war einfach ungenießbar gewesen. Robert ließ Jane ein Bad ein und packte ihre Sachen aus. Er half ihr aus ihren Kleidern und begleitete sie ins Badezimmer. Jetzt, wo sie wusste, dass sie in Sicherheit war, erzählte sie Robert nochmal alles ganz in Ruhe. Robert fragte ob er Jane für einen Moment alleine lassen könnte, denn er wollte Shooter anrufen, um ihm alles genauso zu erzählen, wie Jane es ihm erzählt hatte. Aber Shooter war – wie erwartet – schon einen Schritt weiter. Er hatte sich die Polizeiakte besorgt und kannte daher bereits alle Aussagen.

Jane genoss die Ruhe in ihrem Badezimmer. Sie seifte sich ein, um endlich den Schmutz der letzten Tage weg zu waschen. Robert hatte ihr zwar Musik gemacht, aber sie war nicht aufdringlich. Den linken Fuß hatte sie auf dem Wannenrand abgelegt, damit der Stützverband nicht nass wurde. Das Badezimmer war groß und wunderschön eingerichtet. Es gab eine freistehende Badewanne, deren Armaturen vergoldet waren. Am Boden war Marmor verlegt und die Wände waren in einem hellen Gelb gestrichen. An der Seite über den Waschbecken hing ein riesengroßer Spiegel, deren Rahmen edel vergoldet war. Jane mochte das Badezimmer und hielt sich oft gerne lange dort auf. Ihre Kopfschmerzen hatten durch die Schmerzmittel nachgelassen und sie konnte endlich wieder klare Gedanken fassen. Sie wollte abschalten, aber die schrecklichen Bilder des Anschlags verfolgten sie. Robert brachte ihr eine Tasse frisch gebrühten Kaffee ins Bad und setzte sich zu ihr auf den Wannenrand.

»Versprecht mir, dass du mich nie wieder alleine lässt. Ich hatte schreckliche Angst, Robert«, sagte Jane.

»Ja, das verspreche ich dir«, erwiderte Robert und ihm kam sogleich eine Idee...

Jane war bereits angezogen. Sie trug eine Jogginghose und ihren Lieblingspulli. Sie hatte sich schon im Bett verkrochen als Robert die Tür aufschubste und eine kleine Holzkiste bei sich hatte.

»Liebling, sieh mal! Ich habe eine Überraschung für dich!«

Jane drehte sich um und stellte die Kiste auf ihren Schoß.

»Für mich? Was ist da drin? Da bewegt sich ja etwas.«

Jane öffnete den Deckel der Kiste und konnte ihren Augen nicht trauen. In der Kiste befand sich ein kleiner Hundewelpe. Mit großen Augen nahm sie ihn heraus und sie wusste gar nicht was sie sagen sollte.

»Ein Hundebaby! Robert, du hast mir einen Hund geschenkt?« Jane liebte Hunde über alles und konnte ihr Glück kaum fassen. Sie wollte schon lange einen Hund haben, dachte aber immer, sie hätte zu wenig Zeit für ihn wegen ihrer Arbeit.

»Ja! Damit du nie mehr alleine bist und immer einen Beschützer bei dir hast.«

SIEBEN

Jane knuddelte den ganzen Abend mit dem kleinen Welpen. Es war ein französischer Bulldoggen-Welpe und es war ein Rüde. Robert wusste zufällig, dass die Frau eines seiner Geschäftspartner diese Rasse züchtete. Er wusste, dass Jane Hunde über alles liebte und rief sogleich dort an, als er die Idee hatte. Die Frau war sehr freundlich und brachte den kleinen Kerl sofort vorbei. Sie hatte noch genau einen Welpen übrig, alle anderen waren schon reserviert oder verkauft.

Jane ließ ihn ins Bett hüpfen und spielte mit seinen kleinen Pfoten. Der kleine Kerl war schwarz-weiß gefleckt und hatte auch zwei schwarze Flecken an den Ohren und eine schwarze Nase. Seine schwarzen Augen leuchteten und Jane merkte, dass er sie mochte. Robert setzte sich mit einem Glas Rotwein zu den beiden aufs Bett und sah ihnen beim Spielen zu. Er war froh, dass er Jane auf andere Gedanken bringen konnte. Auch Robert mochte Hunde und hatte gegen den Kleinen nichts einzuwenden.

»Was denkst du, wie soll er heißen?«, sagte Jane mit einem Lächeln. »Ich glaube *Pepper* würde gut zu ihm passen. Na, du kleiner Mann? Gefällt dir *Pepper*?«

Wuff machte der Kleine und schaute Jane hechelnd an. Das hat dann wohl ein *Ja* heißen sollen.

Die Züchterin brachte außer Pepper noch viele tolle Sachen mit: ein Körbchen, indem er schlafen konnte, einen Futter- und einen Wassernapf, Welpenfutter für die ersten Wochen, ein Spielzeug, das lustig quietschte wenn Pepper hineinbiss, ein Halsband und eine Leine. Pepper war bereits acht Wochen alt, sagte die Züchterin und sie erklärte Robert noch kurz ein paar wichtige Sachen. Er sei auch schon stubenrein, sagte sie.

Es war schon spät und Pepper wurde vom Herumtollen müde. Robert ging mit ihm noch einmal kurz in den Garten, um ihn sein kleines Geschäft machen zu lassen und bettete ihn dann in sein Hundekörbchen neben Janes Bett.

»Vielen Dank nochmal für Pepper. Das ist das tollste Geschenk, dass ich je bekommen habe!«, sagte Jane und gab Robert einen Gute-Nacht-Kuss. Jane schlief die Nacht durch. Durch Pepper hatte sie ihre Kopfschmerzen vergessen. Sie dachte auch nicht mehr ständig auf den Vorfall.

Am nächsten Morgen wachte Pepper als erster auf. Mit einem leisen Winseln weckte er Robert. Robert stand auf und legte ihm sein Halsband um, um ihn kurz in den Garten zu lassen. Sie verließen leise das Schlafzimmer, um Jane nicht zu wecken. Robert lies die Terrassentüre einen Spalt offen, schüttete etwas Trockenfutter in Peppers Hundenapf und ging duschen.

Als Pepper fertig gefrühstückt hatte, lief er wieder in Schlafzimmer und sprang aufs Bett, wo Jane noch schlief. Jane merkte eine kalte Nase in ihrem Gesicht und öffnete die Augen. Pepper leckte ihr das Gesicht ab und Jane musste lächeln. Sie nahm den Kleinen in den Arm und sagte »es war doch kein Traum, Pepper! Du bist ja wirklich hier!«

»Nein, das war kein Traum Liebling!«, sagte Robert, der gerade aus dem Badezimmer kam. Er trug nur ein weißes Handtuch um die Hüften.

»Oh, ich bin so froh!«

Die beiden zogen sich an und frühstückten zusammen. Robert verließ erst das Haus als Martha eintraf. Sie stellten Martha das neue Familienmitglied vor und sie konnte sich vor Begeisterung kaum halten. Martha erzählte, dass sie früher, als ihr Mann noch lebte, auch einen Hund hatten. Einen Schäferhund. Er wurde 15 Jahre alt. Jane war froh, dass Martha Pepper mochte. Martha bot ihr Unterstützung bei dem Kleinen an, die Jane gerne annahm. Weil sie ja ihren linken Knöchel nicht belasten durfte und noch auf Krücken gehen musste, konnte sie nicht mit Pepper Gassi gehen und das musste Martha übernehmen.

Jane machte es sich auf dem Sofa bequem, bis es an der Tür leutete. Martha öffnete und draußen stand Jay. Er wollte nur Bescheid geben, dass er jetzt vor dem Haus Position beziehen würde und jederzeit erreichbar wäre, sollte etwas sein. Jay trug schwarze Arbeitskleidung. Eine schwarze Hose, eine schwarze Jacke und schwarze Boots. Jane bedankte sich bei ihm und sah im gleichen Moment Catherine vorfahren.

»Du darfst die Tür offen lassen, Jay!«, sagte Jane. »Cathy kommt gerade um die Ecke.«

»Oh, oh«, meinte Jay. »Dann verzieh ich mich jetzt wohl besser auf meine Position.«

Jane musste lächeln.

»Oh mein Gott, was ist das denn?«, sagte Catherine als sie Pepper in seinem Körbchen neben dem Sofa liegen sah. Jane nahm ihn hoch und hielt sein kleine Schnauze in Richtung Catherine.

»Darf ich vorstellen, das ist Pepper. Pepper schau mal, das ist deine Tante Cathy.«

»Pepper? Ist das etwa ein Hund? Wo kommt der denn her?«

»Ja Cathy, das ist ein Hund. Eine französischer Bulldogge. Robert hat ihn mir geschenkt, damit ich nicht mehr allein bin, wenn er mal nicht da ist.«

»Und der soll auf dich aufpassen? Das soll ein Wachhund sein?«

»Cathy, das ist noch ein Welpe. Er ist erst acht Wochen alt. Das ist noch kein Wachhund. Aber es wird mal einer. Nicht wahr Pepper?«, sagte Jane und hielt ihre Nase an seinen Kopf und gab ihm ein liebevolles Küsschen.

»Na das kann ja heiter werden«, sagte Catherine und setzte sich neben Jane auf den Sessel. Catherine war wie immer perfekt gestylt. Sie trug eine dunkelblaue Hose von Prada, dazu eine sauber gebügelte weiße Bluse und Stilettos von Manolo Blahnik.

Die beiden tranken Kaffee, quatschten über viele Sachen und gingen bewusst dem Thema *Mordanschlag* aus dem Weg. Catherine wollte Jane nicht wieder an die Sache erinnern, jetzt wo sie so glücklich mit ihrem kleinen Hundchen war. Catherine fragte nur nebenbei, ob Shooter schon etwas rausbekommen hätte.

»Noch nicht«, erwiderte Jane. »Aber Robert ruft mich sofort an, wenn es Neuigkeiten gibt.«

Catherine verabschiedete sich von Jane und sagte ihr, dass sie noch im Auktionshaus nach dem Rechten sehen muss.

Der nächste Tag verging ohne besondere Vorkommnisse. Jay bezog wieder Position vor der Villa, Shooter ermittelte nach dem Kerl, der es auf Jane abgesehen hatte und Jane lag auf der Couch herum und vertrieb sich die Zeit mit Pepper und der neuesten Ausgabe der *Cosmopolitan*. Martha kümmerte sich liebevoll um die Beiden und ging alle zwei Stunden mit dem kleinen Pepper raus in den Garten.

Shooter berichtete Robert täglich Neuigkeiten, aber viel wusste er noch nicht. Er hatte bereits einige Wagen gefunden, die auf die Beschreibung von Catherine passen würden und auch die entsprechenden Ziffern auf dem Kennzeichen hatten. Aber alle Besitzer waren sauber, wie Shooters Männer heraus fanden. Außer bei einem war Shooter skeptisch. Als Shooters Männer den Besitzer ausfindig machten erzählte dieser ihnen, dass sein Wagen gestohlen wurde. Er habe den Diebstahl bereits bei der Polizei gemeldet, sagte er. Es handele sich um einen schwarzen Mercedes. Typ S-Klasse, mit folgendem Kennzeichen: »*GX 53 GBN*«

Der Besitzer war ein älterer Mann mit weißgrauen Haaren. Er machte einen netten Eindruck und wohnte in einem stattlichen Haus am Stadtrand. Er erzählte, dass er für die letzten zwei Wochen im Urlaub auf Marbella war und sein Fahrzeug in der Tiefgarage des Flughafens als Langzeitparker geparkt hatte. Als er vorgestern mit seiner Ehefrau zurück kam und in seinen Wagen einsteigen wollte, war dieser verschwunden. Zuerst habe er seine Sohn in Verdacht gehabt, sagte er. Er habe gemeint, dass er den Wagen mit dem Zweitschlüssel dort abgeholt habe. Aber nach einem kurzen Telefonat mit seinem Sohn klärte ihn dieser auf, dass er mit dem Verschwinden des Wagen nichts zu tun hatte. Also musste er mit dem Taxi nach Hause fahren und gab nur wenige Minuten später eine Diebstahlmeldung auf.

Shooters Männer bedankten sich für die Auskünfte und riefen sofort ihren Chef an, um ihm die Neuigkeiten zu berichten.

So langsam waren also die Polizisten, dachte sich Shooter. Bei den Cops hätte es sofort klingeln müssen, als der Besitzer das Kennzeichen durchgab. Vorbildlich rief Shooter Tucker an, um ihm von dem gestohlenen Wagen zu berichten. Auch Robert informierte er übers Handy. Somit ging die Suche nach einem gestohlenen Wagen nun weiter.

Jane war wieder beunruhigt nach dem Telefonat mit Robert, obwohl er ihr versicherte, dass sie in der Villa sicher war und Shooter an der Sache dran sei. Robert war von Shooters Arbeit überzeugt und meinte, dass es bestimmt nicht mehr lange dauern würde, bis er den Kerl gefasst hat. Aber Jane fand keine Ruhe. Sie war froh, dass Jay da war und das Haus bewachte. Jane wollte einfach nur wieder Arbeiten und sich wieder frei bewegen können. Und sie wollte einfach keine Angst mehr haben. Um sich abzulenken rief sie Catherine an und erzählte ihr die Neuigkeiten. Catherine war im Büro und auch ihr wurde mulmig im Bauch, als sie die Geschichte hörte. Sie hatten es also wirklich mit einem Verbrecher zu tun, der vorsätzlich ein Auto gestohlen hatte, um Jane das Leben zu nehmen. Um sich und Jane etwas abzulenken, schlug Catherine etwas vor: »Hey, was hältst du davon, wenn wir ein bisschen Shoppen gehen? Wir wollten doch sowieso nach neuen Prada Pumps schauen und ich habe in einer Stunde zeit!«

Jane zog sich ihre Replay Jeans, ein weißes Tanktop und die weitesten Sneakers an, die sie besaß. Sie trug noch immer einen Verband um ihren linken Knöchel und konnte in keine ordentlichen Schuhe steigen. Bei Prada würden sie es ihr gewiss verzeihen, dachte sich Jane. Sie packte ihre Tasche und legte Pepper sein Halsband um. Die Leine steckte sie in ihre Handtasche und nahm Pepper auf den Arm. Mit einer Krücke humpelte sie zu Tür und Martha half ihr in den Wagen zu steigen.

Catherine holte Jane in ihrem Ford Mustang ab. Catherine liebte diesen Wagen und würde ihn um nichts in der Welt hergeben. Catherines Vater hatte ihn ihr geschenkt, als sie achtzehn Jahre alt geworden ist. Ihr Vater ist inzwischen verstorben und der Wagen ist sozusagen die letzte Erinnerung an ihn. Der Wagen war schon einige Jahre alt, aber Catherine hielt in gut in Schuss. Ein Wermutstropfen ist der hohe Spritverbrauch, aber den nahm sie in Kauf.

In der *New Bond Street* angekommen parkten sie den Mustang am Straßenrand. Sie hatten Glück einen freien Parkplatz, direkt vor dem *Prada Store* zu finden. In dem Moment, als Catherine ausstieg, um Jane zu helfen, rauschte ein schwarzer Mercedes an ihr vorbei. Wieder erkannte sie die Ziffern 53 auf dem Nummernschild und sprang sofort zurück in den Wagen.

»Da ist er!«, rief sie. »Wir müssen hinterher.«

»Da ist wer?«, fragte Jane, die mit der Krücke, ihrer Tasche und Pepper beschäftigt war.

»Der Kerl mit dem schwarzen Mercedes! Ich habe das Kennzeichen gesehen!«

»Oh mein Gott, wir müssen sofort Robert oder Shooter anrufen!«

»Das dauert viel zu lange, wir folgen ihm einfach.«

Catherine bog in die *Conduit Street* und folgte dem schwarzen Mercedes. Jane kramte in ihrer Tasche und zog ihr Handy heraus. Sie tippte wie wild die Nummer von Robert hinein und wartete bis er abhob. Sie erklärte ihm, was passiert ist und das Catherine und sie dem Wagen auf der Spur seien.

»Robert sagte, wir sollen sofort zurück nach Hause fahren, wo wir sicher sind, Cathy! Er wird Shooter Bescheid geben, der wird sich drum kümmern! Vielleicht hat Robert recht. Was ist, wenn uns der Kerl erkennt?«

»Ach Quatsch. Wir sind ihm so dicht auf der Spur. Wir müssen ihm folgen, damit wir wissen wo Shooter oder die Polizei ihn finden kann!«

Catherine raste dem Mercedes hinterher. Sie achtete auf keine Verkehrsregeln mehr und auch über rote Ampeln raste sie einfach hinweg. Jane wurde mulmig im Bauch und krallte sich mit einer Hand am Türgriff fest. In der anderen hielt sie Pepper, der gespannt aus dem Fenster guckte. Janes Handy klingelte.

»Hi, hier ist Shooter? Wo habt ihr den Wagen gesehen?«

Jane erklärte ihm, dass sie ihm gerade auf der *Regent Street* in Richtung *Portland Place* folgten. Er sagte, dass einer seiner Männer schon unterwegs sei und die beiden jetzt nach Hause fahren könnten.

»Catherine fahr zurück!«, rief Jane. »Shooter kümmert sich um die Sache. Einer von seinen Männern ist schon unterwegs hierher.«

»Bis der da ist, könnte der Kerl schon über alle Berge sein!« Catherine raste weiter. Sie bog um die Ecke, doch der Wagen war weg. Sie hatten ihn verloren. So ein Mist.

»Mist!«, schrie Catherine. »Wo ist er hin? Wir waren so nah dran.«

»Ich weiß es nicht. Lass uns nach Hause fahren, Catherine.«

Jane hatte kein gutes Gefühl bei der ganzen Sache.

Catherine lies sich überreden und schlug den Weg zurück zur Villa ein. Jane war froh wieder zu Hause zu sein.

Als Robert ein wenig später nach Hause kam, setzte er sich zu Jane aufs Sofa.

»Hey Liebling. Geht es dir gut? Ich hatte eine Heidenangst, als du angerufen hast. Wieso bist du eigentlich mit Catherine unterwegs gewesen und bis nicht zu Hause geblieben? Du weißt doch, dass der Kerl noch frei rumläuft.«

»Ich weiß. Aber Catherine hat mich angerufen, ob wir Schuhe kaufen gehen und mir viel zu Hause einfach die Decke auf den Kopf. Seit Tagen sitze ich hier rum. Ich musste einfach mal raus. Als wir in der *New Bond Street* ankamen, sah Catherine auf einmal den schwarzen Mercedes an uns vorbeifahren und sie nahm die Verfolgung auf. Hat Shooter ihn gefasst?«

»Nein, leider nicht. Er ist wie vom Erdboden verschwunden.«

Pepper schaute von seinem Körbchen zu den beiden auf und machte ein trauriges Gesicht. Jane kraulte ihn hinter den Ohren uns sagte: »Gott sei Dank ist uns nichts passiert. Nicht wahr, kleiner Mann?«

ACHT

In der Nacht schlief Jane sehr schlecht. Sie musste immer wieder daran denken, was gewesen wäre, wenn der Mann sie und Catherine erkannt hätte. Er wäre sicherlich nicht darüber erfreut gewesen, wenn er wüsste, dass die beiden ihn verfolgt hätten. Erst im Nachhinein ist ihr das so richtig bewusst geworden und bei dem Gedanken daran, drehte sich ihr jedes Mal der Magen um.

Um acht Uhr klingelte ihr Handy. Es war Catherine.

»Cathy, Guten Morgen!«, begrüßte Jane ihre Freundin. »Du bist aber heute schon früh im Büro.«

»Jane, Gott sei Dank erreiche ich dich! Du musst sofort ins Auktionshaus kommen. Es wurde eingebrochen!«

»Was? Oh mein Gott! Wurde etwas gestohlen?« Einige Tage vor Auktionen werden die zu versteigernden Gegenstände immer im Tresorraum des Auktionshauses aufbewahrt. Und da in der nächsten Zeit einige Auktionen stattfinden würden, war natürlich ein erheblicher Wert im Tresorraum untergebracht.

»Komm bitte so schnell wie möglich her. Mr. Tucker, ist auch schon da.«

Am Auktionshaus angekommen, wartete Catherine schon an der Eingangstür auf Jane. Robert hatte das Telefongespräch zwischen Jane und Catherine mitangehört und Jane begleitet. Als Teilhaber von *London Auctions* muss *Carlton & Partner* selbstverständlich auch über den Einbruch informiert werden. Catherine sprach an der Tür mit Mr. Tucker, als Jane und Robert die Treppen hinauf gingen.

»Guten Morgen, Miss Sparkley«, begrüßte Mr. Tucker sie. »Miss Parker hat Ihnen den Vorfall von letzter Nacht bereits berichtet?«

»Ja natürlich. Erzählen Sie mir, wie das passieren konnte! Ist etwas gestohlen worden?«

Der Tresorraum des Auktionshauses ist mit einer Alarmanlage ausgestattet. Wenn jemand unbefugt den Raum betreten will, wird sofort ein Signal an die örtliche Polizei gesendet. Mr. Tucker erklärte ihr, dass dies diesmal aber nicht der Fall war. Der Sender sei nicht beschädigt, er habe aber auch kein Signal gegeben.

»Miss Parker hat mir eine Liste mit allen Gegenständen, die sich im Tresorraum befanden, überreicht«, erzählte er weiter. »So wie es aussieht fehlt ein Gemälde. Es heißt *Blüten der Nacht*.«

Jane bekam fast einen Herzstillstand. Mit offenen Mund starrte sie Tucker an. »*Blüten der Nacht*? Das ist das Gemälde von Mrs. Meyers. Wissen Sie, was dieses Bild wert ist? Der Wert wurde von der Versicherung auf mehrere Millionen Pfund geschätzt!« Es war der teuerste Gegenstand, den Jane momentan im Auktionshaus aufbewahrte.

»Ja, ich weiß«, meinte Tucker.

»Wer soll mir denn den Schaden ersetzen? Mit so einem Verlust kann das Auktionshaus niemals überleben! Und was wird Mrs. Meyers dazu sagen? Es ist eine Katastrophe!« Jane musste sich setzen.

»Beruhig dich Liebling.« Robert wandte sich zu Tucker. »Haben Sie denn irgendeine Spur? Hat der Täter Einbruchspuren oder Fingerabdrücke hinterlassen?«

»Die Spurensicherung ist noch an der Arbeit. Aber auf den ersten Blick konnten keine Einbruchspuren festgestellt werden. Die Eingangstüre ist nicht beschädigt und auch die Tür vom Tresorraum kann nicht einfach so geöffnet worden sein. Die Täter muss sich irgendwie anders Zutritt verschafft haben. Wir haben sofort *Scotland Yard* eingeschaltet. Sie werden in den nächsten Minuten eintreffen und sich dem Fall annehmen«, mit diesen Worten wandte sich Tucker ab.

Jane blieb den ganzen Vormittag mit Catherine im Auktionshaus. Catherine versicherte Robert, Jane später sicher nach Hause zu bringen, denn Robert musste ins Büro. Jane hatte Pepper in ihrem Büro abgesetzt und dort tollte er fröhlich umher. Jane und Catherine mussten den Leuten von *Scotland Yard* einige Fragen beantworten. Desweiteren benötigten sie alle Versicherungsunterlagen, die Jane ihnen sofort zusammenstellte. Vor jeder Auktion werden die Kunstgegenstände von einer Versicherung geschätzt und versichert. Einerseits ist das wichtig, um einen angemessenen Mindestpreis zu ermitteln und andererseits dafür, dass im Falle einer Beschädigung oder eines Diebstahls – wie es nun der Fall war – die Versicherung für den Schaden aufkommt. Als die Spurensicherung fertig war, sperrte Tucker das komplette Auktionshaus mit einem rot-weiß-gestreiften Absperrband ab. Er sagte, es müsse geschlossen bleiben, bis die Ermittlungen abgeschlossen sind. Und wer weiß, wie lange das dauern würde!

Jane packte in ihrem Büro noch einige Unterlagen und ihr Notebook zusammen, bevor sie aufbrachen. So konnte Jane auch von zu Hause aus arbeiten und würde nicht nur immer nichts tuend auf dem Sofa liegen.

Catherine begleitete Jane noch ins Haus und Martha brachte den beiden Kaffee.

»Ich kann das alles noch nicht glauben!«, begann Jane das Gespräch. »Das Auktionshaus existiert nun seit mehr als hundert Jahren und es hat seither noch nie jemand versucht dort einzubrechen.«

»Ja, das ist wirklich merkwürdig. Und, dass der Einbrecher nur das eine Bild gestohlen hat. Er muss es direkt darauf abgesehen haben. Er muss gewusst haben, dass *Blüten der Nacht* bei uns gelagert war. Was aber wirklich sehr unwahrscheinlich ist, weil mit den Werbemaßnahmen für die Meyers-Auktion erst nächste Woche hätte begonnen werden sollen und bei dieser Summe auch nur begrenzt viele potentielle Stammkunden des Auktionshauses angeschrieben werden. Es gibt nicht viele, die sich ein Kunstgemälde in so einer Höhe leisten können. Außerdem werden alle Meyers-Auktionen äußert diskret behandelt.«

»Ja, du hast recht! Es ist wirklich alles komisch und passt irgendwie gar nicht zusammen.«

Als Robert an diesem Abend nach Hause kam, klingelte sein Handy. Es war Shooter und Robert hob ab.

Jane saß auf dem Sofa und schaute Robert gespannt an.

»Im Kofferraum?«, sagte Robert. »Parkplatz?« »Restaurator?« »Sonst keine Spuren?«

Jane konnte nichts anfangen mit diesen Wörtern. Was hatte Shooter herausbekommen?

»Jetzt sag schon!«, sagte Jane zu Robert als er aufgelegt hatte. »Was hat Shooter gesagt?«

»Also. Einer von Shooters Männern fuhr heute durch die Straßen, als ihm auf einem leeren Parkplatz ein schwarzer Wagen auffiehl. Er fuhr näher ran und erkannte das Kennzeichen. Es war der Wagen, der dich angefahren hat! Er rief Shooter an und er kam direkt zu dem Parkplatz. Die beiden begutachteten den Wagen, ihnen viel aber nichts besonderes auf. Der Wagen war nicht abgeschlossen und Shooter öffnete den Kofferraum. Und siehe da, *Blüten der Nacht*, das Meyers-Gemälde lag im Kofferraum!«

»Sie haben das Bild gefunden?«, fragte Jane mit einer Erleichterung.

»Pass auf Jane! Shooter brachte es auf Anweisung von Tucker direkt zum Restaurator. Doch der stellte heraus, dass es sich um eine billige Fälschung handelt!«

Jane hielt inne. »Eine Fälschung? Aber Robert, das würde ja heißen, dass der Mordversuch und der Einbruch und Diebstahl im Auktionshaus in Zusammenhang stehen. Das würde ja bedeuten, dass derselbe Kerl, der mich angefahren hat auch das Bild geklaut hat! Es handelt sich also um den selben Täter?!«

»Ja so sieht es wohl aus. Tucker, Shooter und das *Scotland Yard* suchen jetzt also alle nach dem selben Täter. Die Polizei hat den Wagen sichergestellt, aber die Spurensicherung konnte keinerlei Spuren, außer denen des Besitzers, finden.«

Jane sah Robert mit großen Augen an. »Meinst du etwa, dass es dieser Mann war, dem der Wagen gehört?«

»Nein, das glaube ich nicht. Shooter hat gesagt, er habe ihn überprüft und er sei mit seiner Frau wirklich in Marbella im Urlaub gewesen.«

»Das ist nicht zu fassen. Ich weiß gar nicht, was ich sagen soll. Ich muss das unbedingt Catherine erzählen.«

NEUN

Catherine war nach dem Telefonat mindestens genauso sprachlos wie Jane. Am nächsten Morgen stand sie mit einer Tüte Donuts vor Janes Tür.

»Jay ist wieder da?«, fragte sie, als sie die Tür betrat.

»Ja. Robert ist schon weg und bin mir einfach sicherer, wenn jemand vor der Tür ist.«

Sie nahmen in der Küche Platz, tranken Kaffee und aßen die Donuts. Jane gab Pepper auch ein kleines Stück, der natürlich nicht verneinte.

»Ich habe die ganze Nacht kein Auge zugemacht«, sagte Catherine.

»Mir ging's genauso«, gestand Jane.

»Wo hatte der Kerl eigentlich so schnell eine Fälschung her? Ist ja nicht leicht, mal einfach so ein Mehrere-Millionen-Pfund-Bild zu fälschen.«

»Es sind doch viele Fälschungen im Umlauf. Wahrscheinlich wird er sie irgendwo gekauft haben.«

»Und warum hat er eine Fälschung im Kofferraum zurück gelassen?«

»Wahrscheinlich um die Polizei auf eine falsche Fährte zu locken. Aber unser Restaurator konnte recht schnell feststellen, dass es sich um eine Fälschung handelte. Wahrscheinlich wollte er, dass wir die Fälschung in der Auktion versteigern, nicht das Original.«

»Ja wahrscheinlich hast du recht. Hat die Polizei schon etwas über den Einbruch herausgefunden? Also ich meine, wie der Kerl sich Zutritt verschafft hat, ohne den Alarm auszulösen?«

»Nein, soviel ich weiß noch nicht! Aber lass uns nach dem Frühstück zu Robert ins Büro fahren. Shooter kommt später dort hin. Vielleicht wissen wir dann mehr.«

Nach dem Frühstück band Jane Pepper das Halsband um und befestigte die Leine. Die Krücken durfte Jane heute zu Hause lassen. Der Arzt hat ihr versichert, dass sie wieder auftreten dürfe, aber dennoch vorsichtig sein müsse. Jane war froh, die Dinger endlich los zu sein.

Die beiden stiegen in Catherines Mustang und fuhren durch die Stadt. Kurz vor Roberts Büro mussten Sie einer Umleitung folgen, da sich ein Unfall ereignet hat.

»So ein Mist«, fluchte Catherine. »Jetzt dauert es 20 Minuten länger, bis wir bei Robert sind.« Catherine drehte die Musik lauter.

»Schau mal Cathy«, sagte Jane, als sie rechts aus ihrem Fenster guckte.

»Was denn?«

85

»Na, der rote Lieferwagen, da im Hinterhof.«

»Ja, was ist mit ihm?«

»Da sind die hinteren Türen offen und siehst du die Decke, die über einen Gegenstand geschmissen wurde?«

»Ja, das sehe ich!«

»Sieh doch mal genauer hin.« Jane wurde ungeduldig.

»Unten rechts sieht ein Stück des Gegenstandes hervor. Und ich müsste mich schon schwer täuschen, wenn es nicht ein Stück von *Blüte der Nacht* war.«

Catherine hielt den Atem an. »Du meinst, da ist das Bild?«

»Ja, verdammt!«, schrie Jane. »Fahr rechts ran, schnell!«

»Aber ich kann hier nirgends ausweichen, da kommt Gegenverkehr!«

»Das ist egal, fahr sofort rechts ran!«

Catherine tat, was Jane ihr befahl. Reifen quietschen, Autos bremsten und Fahrer schimpften. Aber Catherine kam auf die andere Straßenseite und hielt an. Jane sprang aus dem Auto und ging so schnell sie konnte zu dem Lieferwagen. Laufen konnte sie mit ihrem Fuß noch nicht.

Als sie ihre Hand nach der Decke ausstreckte, die das Bild umgab, spürte sie einen harten Schlag auf den

Hinterkopf und viel zu Boden. Zur gleichen Zeit wurde Catherine aus ihrem Wagen gezerrt, obwohl sie sich mit beiden Beinen und den Armen dagegen wehrte. Der eine Kerl, der Jane zu Boden geworfen hatte, zerrte sie zu dem Bild in den Lieferwagen. Er trug schwarze Hosen, ein schwarzes Sweatshirt und hatte eine schwarze Baseballmütze auf. Der andere Kerl, er war ebenso schwarz gekleidet, aber etwas dicker, zerrte Catherine ebenfalls zu dem Lieferwagen und schubste sie mit aller Kraft hinein. Catherine schrie um Hilfe, aber niemand schien sie zu hören.

»Halt deine Schnauze und geh da rein. Scheiß Schnüffler«, sagte der dickere Kerl forsch. Er knallte die Tür des Lieferwagens so stark zu, das Catherine zusammen zuckte.

Jane ist durch den Schlag ohnmächtig geworden und lag neben Catherine.

»Jane!«, flüsterte Catherine. »Jane, wach auf!«

Jane öffnete langsam die Augen. »Was... Was ist passiert?? Au, mein Kopf.« Sie blickte sich im dunklen Lieferwagen um. Es dauerte einen Moment, bis sich ihre Augen an die Dunkelheit gewohnten. »Cathy, da ist das Bild! Hier ist *Blüte der Nacht*.«

»Ja, ich weiß«, meinte Cathy. »Aber das hilft uns reichlich wenig. Die Typen haben uns in den Lieferwagen eingesperrt. Einer hat dir einen Schlag auf den Hinterkopf verpasst, als du das Bild nehmen wolltest und der andere hat mich aus dem Wagen gezerrt. Ich hatte keine Chance gegen den Koloss!«

»Oh nein, nicht das auch noch! Niemand weiß wo wir sind! Und was ist mit Pepper?« Jane hatte ihn im Wagen gelassen, als sie in den Hinterhof zu dem Bild gelaufen ist. Ihre Augen füllen sich mit Tränen. »Ich habe nicht mal mein Tasche dabei, in der Tasche wäre mein Handy!«

»Ich hab meinen Blackberry bei mir!« fiel Catherine ein.

»Schnell versuch Robert anzurufen!«

Catherine kramte in der Hosentasche nach ihrem Handy.

»Keine Chance.« Ihre Euphorie verstrich. »Kein Empfang.«

»Oh nein, bitte nicht.« Jane war verzweifelt. »Jetzt haben wir zwar das Bild gefunden, aber sind gekidnappt worden. Niemand weiß wo wir sind!«

»Doch, Martha weiß, dass wir zu Robert wollten!«

»Aber Robert weiß es nicht. Also meint Martha wir sind bei Robert und Robert meint, wir sind zu Hause.«

Ihr Gespräch wurde durch ein Ruckeln am Lieferwagen unterbrochen.

»Psst, Jane, sei still! Da sind die beiden.«

Sie stiegen in den Lieferwagen ein und Jane und Catherine konnten hören, wie sie sprachen.

»Hallo Boss, wir haben zwei Frauen geschnappt. Sie wollten das Bild aus dem Wagen klauen.« Wahrscheinlich telefonierte er. »Was sollen wir mit ihnen machen? Die eine haben wir k.o. geschlagen und die andere liegt auch hinten.«

Er machte eine Pause.

»Okay Boss. Machen wir.«

Was würde mit ihnen geschehen? Jane und Catherine schauten sich geschockt an. Der Wagen wurde angelassen und die beiden wurden hin und her geschaukelt. Der Lieferwagen hatte hinten keine Fenster, so konnten sie noch nicht einmal sehen, wo sie waren. Jane und Catherine hatten Angst. Große Angst. Nach einer Weile Fahrt, blieb der Lieferwagen stehen. Der dünnere von den beiden Typen riss die Hintertür des Wagens auf und grinste sie an.

»So Ladys. Ihr macht jetzt einen netten Ausflug!«

Jane und Catherine kannten den Mann nicht. Er zog Catherine an einem Fuß zu sich und Jane wollte ihr helfen. Doch da kam der andere Typ zur Hilfe und hielt sie fest. Als der eine Kerl Catherines Handy sah, nahm er es, warf es auf den Boden und zertrat es.

»He, das ist ein Blackberry! Wissen Sie eigentlich, was der kostet, sie Arschloch?« Der Kerl antwortete nicht.

Sie banden ihnen Hand- und Fußfesseln um und verbanden ihnen die Augen. Jane und Catherine wehrten sich mit aller Kraft, aber sie hatten keine Chance. Sie wurden wieder zurück in den Lieferwagen geschubst.

»Jane? Bist du noch da?«, fragte Catherine, als der Wagen weiterfuhr.

»Ja ich bin da. Ich hab solche Angst Cathy. Wer weiß was die uns antun? Meinst du sie ermorden uns? Oder sie tun uns etwas schreckliches an?«

»Ich weiß es nicht Süße. Aber wir müssen freundlich sein. Wenn wir kooperieren lassen sie uns vielleicht frei.«

»Naja, ich weiß nicht, Cathy. Die beiden sehen nicht so aus, als ob sie kooperationswillig wären, nachdem sie deinen Blackberry zertreten haben. Ich habe Angst um Pepper. Was ist, wenn ihn jemand klaut, oder wenn es ihm schlecht geht?«

»Ich habe Angst um mein Auto!«, sagte Catherine. »Sogar der Zündschlüssel steckt noch!«

»Ein Auto kann man ersetzen, Cathy. Pepper nicht.«

»Aber nicht das Auto!«, sagte Cathy böse.

»Oh, entschuldige Cathy. Ich hab nicht dran ge-dacht, dass der Wagen von deinem Vater ist.«

»Schon gut, du hast ja eigentlich recht.«

ZEHN

Nach kurzer Zeit hielt der Lieferwagen wieder an und die beiden Frauen wurden aus dem Wagen gezerrt.

»Aua, nicht so fest!«, schrie Jane.

»Sie tun mir weh, Sie Rüpel!«, schimpfte Catherine.

»Schnauze halten! Alle beide!«, brüllte einer der beiden zurück.

Jane rutschte die Augenbinde etwas nach unten. Sie war froh, wieder etwas zu sehen. Sie blinzelte und fand sich in der Nähe der Westminster Bridge wieder. Sie wurden die Treppen hinunter in Richtung County Hall geschleift. Jane erinnert das an eine Szene aus einem James Bond Film. So wie es aussah wurden die beiden in den Raum gebracht, wo Pierce Brosnan in *Stirb an einem anderen Tag* seinen unsichtbaren Aston Martin in Empfang genommen hat.

Die Straßen waren menschenleer. Weit und breit war niemand zu sehen. Jane erinnerte sich, dass sonst immer Leute auf den Straßen waren. Wieso heute nicht? Somit brachte es auch nichts um Hilfe zu schreien. Niemand würde sie hören.

Einer der Kerle öffnete die Tür und stieß Jane und Catherine so fest hinein, dass sie sogleich auf den Boden fielen.

»Hey!! Lass uns hier raus!«, schrie Catherine. Doch es war zu spät. Sie zogen die Türe zu und schlossen ab. Nun waren Sie also in irgendeinem Raum unter der County Hall eingesperrt und wahrscheinlich würde sie hier nie jemand finden. Der Raum war klein, hatte Steinboden und unverputzte Wände. Es war ein typischer Kellerraum. Ganz oben war ein kleiner Lichtschacht, von dem ein paar Sonnenstrahlen herein fielen. Ansonsten war der Raum dunkel, kalt und karg.

»Hast du dir weh getan?«, fragte Jane Catherine.

»Nein, es geht schon. Nur meine Hose ist zerrissen und schmutzig. Du?«

»Ich auch nicht. Was machen wir denn jetzt?«

»Wir müssen hier raus. Ich halte es keine Sekunde länger hier aus. Der Raum ist ein einziges Dreckloch. Hier wird uns nie jemand finden. Wer weiß, ob die beiden Kerle überhaupt wieder herkommen! Vielleicht wollen sie uns hier verrecken lassen.«

Jane schaute Catherine mit großen Augen an. »Meinst du? Hör auf, das macht mir Angst.«

»Wir müssen uns was überlegen, Jane. Sonst verrecken wir hier wirklich.«

Zur gleichen Zeit wartete Robert in seinem Büro auf die beiden Frauen. Martha hatte ihm Bescheid gegeben als sie Feierabend machte. Robert hatte darauf hin Jay für die Zeit, in der Jane nicht im Haus war, frei gegeben.

Es waren bereits über zweieinhalb Stunden seit Marthas Anruf vergangen und Robert machte sich langsam Sorgen. Er wählte Janes Handynummer, doch niemand antwortete. Wahrscheinlich haben sie beim Kaffeeklatsch wieder die Zeit vergessen, dachte sich Robert und wählte die Nummer ihres Privathauses. Doch meldete sich dort auch niemand.

»Verflixt«, schrie Robert als er das Telefon auflegte. »Wo stecken sie bloß?« Robert wählte noch einmal Janes Handynummer. Wieder keine Antwort. Er wählte auch Catherines Nummer, aber hier war der gewählte Ansprechpartner momentan nicht erreichbar. Also rief er Jay an. Als auch dieser ihm versicherte, die beiden Frauen wegfahren gesehen zu haben, flippte Robert endgültig aus. Gerade in diesem Augenblick kam Shooter in Roberts Büro. Robert erzählte ihm aufgebracht was passiert und ist.

»Beruhig dich Robert. Den beiden ist nichts passiert. Wahrscheinlich haben sie auf dem Weg hierher in irgendeinem Schaufenster irgendwelche Schuhe oder so etwas gesehen und sind in den Laden. Frauen fahren doch immer auf so etwas ab«, versuchte Shooter ihn zu beruhigen.

Von dem Kellerraum, in dem Jane und Catherine gefangen waren, hörten sie Schritte und Stimmen. Sie hielten beiden die Luft an und verhielten sich leise, als die stürmisch die Tür von dem Kellerraum geöffnet wurde. Herein kamen drei Männer. Die beiden Kerle, die Jane und Catherine in diesen Kellerraum gesperrt hatten und ein weiterer Mann, den Jane und Catherine sofort erkannten. Es war der Kerl, der Jane angefahren hatte, doch bevor die beiden etwas sagen konnten, übernahm er das Wort und sagte mit süßlicher Stimme: »Miss Sparkley, das ist ja eine Überraschung, dass ich Sie hier treffe!«

»Sie... Sie haben mich angefahren, Sie Schwein. Was soll das alles hier? Ich werde Sie anzeigen!«, sagte Jane.

»Aber nicht doch, Miss Sparkley«, sagte der Mann und schnalzte ekelhaft mit der Zunge.

»Was wollen Sie von uns?«

»Gar nichts, ich habe ja alles was ich will!«

»Ich meine, warum haben Sie uns eingesperrt? Und woher kennen Sie meinen Namen?«

»Sie sind mir in die Quere gekommen und deshalb musste ich Sie ausschalten. Sie sollten sich merken, niemals einem Mann wie mir das Geschäft zu vermasseln, das könnte nämlich böse Folgen haben und deshalb müssen Sie das jetzt büßen!« Der Mann drehte sich um und ging mit seinen beiden Handlangern zur Tür.

»Wie meinen Sie das, das Geschäft vermasseln?«, fragte Jane aber die Männer waren schon zur Tür hinaus.

»Hallo, Sie!!!«, schrien Jane und Catherine. »Sie können uns doch nicht einfach hier vergammeln lassen! Machen Sie sofort die Tür wieder auf.«

Aber sie waren schon verschwunden.

»So. Jetzt haben wir aber genug gewartet«, meinte Robert. »Ich gehe jetzt los und suche die beiden.«

»Warte Robert. Wir nehmen meinen Wagen. Wir werden sie finden!«, antwortete Shooter und die beiden stiegen in Shooters Wagen ein. Er fuhr heute einen schwarzen Porsche Cayenne, mit allem Schnickschnack, dem man sich vorstellen konnte.

Robert fluchte, als er sie auf die Umleitung zu steuerten. »Diese Baustellen hier in London machen mich eines Tages noch verrückt.«

Nur langsam ging es voran und immer wieder mussten sie anhalten. Laute Geräusche von Baumaschinen und das Hupen der anderen Autos waren zu hören. Aufmerksam lauschten sie der Verkehrsnachrichten im Radio.

»Halt sofort an!«, Roberts Herz blieb fast stehen. »Hier steht Catherines Mustang.«

»Bist du sicher? Warte, ich fahr sofort rechts ran.« Shooter lenkte den Wagen rechts aus dem Verkehr und hielt auf einem Bordstein im Halteverbot. Beide stiegen aus dem Porsche und rannten zu dem Wagen. Er war nicht abgeschlossen und auf dem Beifahrersitz machte Pepper ein trauriges Gesicht.

»Hier ist Pepper!«, Robert öffnete die Autotür und nahm das kleine Hündchen heraus. »Auch Catherines Tasche liegt noch hier, was hat denn das zu bedeuten?«

Shooter hatte in der Zeit schon das Telefon am Ohr und telefonierte mit Jay. Er erklärte die neuesten Ereignisse und gab ihm Anweisungen. »Jay und ein paar andere Männer sind unterwegs. Sie werden den Wagen untersuchen. Es muss irgendeine Spur geben, die beiden können doch nicht vom Erdboden verschwunden sein.«

Als Jay und die anderen eintrafen, waren nur ein paar Minuten vergangen. Einer der Männer ging auf Shooter zu und begrüßte ihn mit Handschlag. Er erklärte ihm, dass er etwas sehr merkwürdiges über einen Kunstdiebstahl herausgefunden habe. Vor einigen Monaten wurde ein Auktionshaus in Dublin, unter den gleichen Bedingungen ausgeraubt. Der Täter wurde nicht gefasst. Die Spur führte jedoch nach Holland, doch auch dort konnte er nicht dingfest gemacht werden.

»Es könnte einen Zusammenhang geben, Shooter.« meinte der Mann.

»Zusammenhang hin oder her. Wichtiger ist, das meine Frau und Ihre Freundin gefunden werden. Sie sind verdammt noch mal verschwunden!« Man merkte Roberts Verzweiflung an. Er hatte Angst um Jane.

»Holt alles über den Fall ein, was ihr kriegen könnt«, befahl Shooter den Männern. »Aber zuerst macht ihr hier alles für die Suche fertig«, fügte er noch hinzu.

ELF

Draußen wurde es Abends und im finsteren Kellerverlies immer dunkler. Jane lag am Boden, der Schlag auf den Kopf hatte sie mehr mitgenommen, als sie zugab. Sie war schwach und hatte Durst. Catherine saß neben ihr und schob nervös kleine Kieselsteine, die auf dem Boden lagen herum. Sie überlegte fieberhaft, wie sie hier wieder rauskamen, denn Catherine merkte, dass es Jane Stunde für Stunde schlechter gehen würde.

»Jane! Du darfst nicht einschlafen, hörst du?! Du musst wach bleiben! Jane!«, sie schüttelte Jane an der Schulter und als sie ihre Hand wegnahm, merkte sie, das sie schwarze Spuren auf Janes Bluse hinterließ.

Was ist das denn? Fragte sie sich und sogleich kam ihr eine Idee. Die Steine sind keine Kieselsteine sondern kleine Kohlestückchen, die abfärben. Jetzt hatte sie eine Idee. Wenn die Kohlestücke abfärben, konnte man damit auch etwas schreiben. »Jane, wach auf! Ich habe eine Idee«, wieder schüttelte sie Jane an der Schulter, aber Jane war schwach.

»Was ist denn Catherine? Ich kann nicht mehr, mein Kopf tut höllisch weh und ich will hier raus. Ich habe Durst und muss auf die Toilette.«

»Ja ich weiß Jane«, gab Catherine traurig zurück. »Aber ich habe eine Idee, wie wir hier raus kommen. Wir müssen uns bemerkbar machen und das können wir tun, indem wir mit diesen Kohlestücken einen Hilferuf aufschreiben. Wir brauchen nur etwas, worauf wir schreiben können und dann müssen wir das da oben bei dem Lichtschacht raus schieben.« Catherine blickte nach oben.

»Du meinst das funktioniert? Wie willst du da rauf kommen?«, fragte Jane.

»Das weiß ich noch nicht, aber mir fällt schon was ein. Wir brauchen zuerst ein Stück Papier oder etwas, wo wir hinschreiben können.«

»Ich hab ein weißes Tanktop an, darauf können wir schreiben.« Jane versuchte sich aufzusetzen und Catherine half ihr. Mit aller Mühe versuchte Jane es über den Kopf zu ziehen, schaffte es ohne Catherines Hilfe aber nicht. Als sie es endlich geschafft haben, breitete Catherine den Stoff vor sich aus und schrieb mit großen Lettern »HILFE WIR SIND HIER UNTEN« auf das Shirt.

»So. Und jetzt müssen wir da rauf«, sagte Catherine als sie fertig war und blicke nach oben zu dem Lichtschacht. Auch Jane folge ihrem Blick.

»Okay und wie kommen wir jetzt da rauf?«

Der Raum, in dem die beiden eingeschlossen waren, war nicht sehr hoch. Dennoch zu hoch um auf Zehenspitzen und mit ausgestreckten Armen den Lichtschacht zu erreichen.

»Pass auf, Jane«, sagte Catherine. »Du musst mir jetzt helfen. Kannst du aufstehen?«

Jane war schwach, versuchte es aber trotzdem. Mit beiden Händen stützte sie sich am Boden ab, doch sie hatte wenig Kraft um auf beide Beine zu kommen.

»Nein das klappt so nicht«, stellte Catherine fest. »Setz' dich mit dem Rücken zur Wand, damit du dich anlehnen kannst und ich mich auf deine Schultern stellen kann. Die Höhe dürfte dann reichen, um an den Lichtschacht zu kommen! Meinst du, du hältst das aus?«

»Versuchen müssen wir es«, meinte Jane. »Damit uns endlich jemand findet.«

Jane setzte sich mit dem Rücken zur Wand und Catherine zog ihre Schuhe aus. Vorsichtig stieg sie mit einem Fuß auf Janes Schulter und zog sich an der Wand hoch. Oben an der Wand beim Fenster war ein Vorsprung. Dort konnte sie sich festhalten. Doch als sie den zweiten Fuß nachziehen und auf Janes andere Schulter steigen wollte, verlor sie das Gleichgewicht und prallte rücklings mit einem lauten Knall auf den kalten Boden.

»Aaaaaaaaaah«, schrie Catherine.

»Oh mein Gott, Cathy, bist du in Ordnung?«, schrie Jane besorgt.

Aber Catherine stand schon wieder auf beiden Beinen. »Ja geht schon! Komm wir versuchen es gleich nochmal.«

»Cathy, du bist gerade von 2 Meter Höhe auf den Boden gestürzt und jetzt willst du es nochmal versuchen? Hast du dir denn weh getan?«

»Nein ist schon gut. Mein Arm tut ein bisschen weh, aber wir müssen es nochmal versuchen! Das ist die einzige Möglichkeit um hier rauszukommen.«

Gesagt, getan. Catherine kletterte erneut auf Janes Schultern. Diesmal ein bisschen vorsichtiger. Sie versuchte ihren rechten Arm, in dem sie das beschriebene Tanktop hielt, so lang wie möglich zu strecken und erreichte mit aller Mühe den Lichtschacht. Vorsichtig versuchte sie sich noch mehr zu strecken und sagte: »Gleich hab ich es Jane. Ich kann das Fenster erreichen! Jetzt muss ich nur doch das Top rausschieben!«

»Verdammt, ich drehe gleich durch, wenn nicht sofort etwas passiert!« Nervös strich sich Robert durch die Haare. »Shooter!«, rief er. »Ich gehe kurz ein paar Schritte mit Pepper. Vielleicht lenkt mich das etwas ab. Ich kann hier nicht mehr so tatenlos herumstehen.«

»Ist gut!«, bestätigte Shooter Roberts Vorschlag. »Sollte sich was ergeben, melde ich mich sofort übers Handy«, versprach er.

Robert lies Pepper auf den Boden und machte sich auf den Weg. Er hoffte nun ein paar klare Gedanken fassen zu können und bis er wieder zurück kam, hatte Shooter vielleicht schon eine Spur, dachte er. Er machte sich furchtbare Sorgen um seine Jane und um Catherine.

Nach allen zwei bis drei Schritten griff er nervös in seine Manteltasche und blickte auf sein Handy. Noch kein Anruf von Shooter. Also gab es noch nichts Neues. Die Männer taten alles was sie konnten, versuchte er sich selbst zu beruhigen.

Er überquerte mit Pepper die Straße und blieb kurz stehen. Er blickte zu Pepper hinunter, weil er ein Ziehen an der Leine merkte.

»Pepper, was machst du denn da? Pepper! Stop!«, schrie Robert! Doch es war schon zu spät. Peppers kleiner Kopf war durch das Halsband geschlüpft, indem er mit einer Pfote den Riemen über seinen Kopf schob – und weg war er. Mit voller Kraft lief er los und Robert hinter ihm her.

»Pepper! Bleib sofort stehen!« Robert schrie sich die Seele aus dem Leib. Die Leute sahen ihn an, als wäre er ein Gespenst. Pepper mogelte sich zwischen den Beinen der Leute hindurch, bei seiner Größe war das ja kein Problem. Nur Robert hatte damit Probleme. Er wich den Passanten so gut es ging aus, stieß aber trotzdem mit einigen zusammen.

»Entschuldigen Sie bitte vielmals.... Pepper! Entschuldigung! Vorsicht bitte! Pepper! Stehen bleiben! Aus dem Weg!« Robert schrie nach Pepper und entschuldigte sich bei den Leuten, die er anrempelte. Aber Pepper blieb nicht stehen. So schnell er konnte sprintete er durch die Straßen und scheuchte Robert durch die halbe Stadt.

Nicht auch das noch, dachte sich Robert während er Pepper hinterher lief und sich die Seele aus dem Leib rief. Was solle er nur tun? Jane würde ihm das nie verzeihen, wenn der Hund nicht mehr auftauchen würde. Sie würde denken, er habe nicht gut genug auf Pepper aufgepasst und ihm wäre gar nicht wichtig, was ihr wichtig ist. Wie sollte er ihr das erklären, dass Pepper einfach abgehauen ist? Keuchend lief er um die Ecke und blieb, die Hände auf die Knie gestützt, kurz stehen um etwas zu verschnaufen. Robert hielt sich zwar fit, hatte Ausdauer und eine gute Konditionen. Doch für einen Marathon durch die Straßen Londons reichte es wohl doch nicht! In einer Hand hielt er Peppers Leine, an der nur ein Halsband, aber leider kein Hund mehr befestigt war. Gedankenverloren sah er das Halsband an, das an der Leine baumelte. Wieso hatte er nur so ein Pech, dachte er sich? Wieso waren jetzt Jane, Catherine und auch noch der Hund verschwunden?

Gerade wollte Robert weiterlaufen und sah sich um, wo er sich befand als er ein paar Meter weiter Pepper an einer Hausmauer schnüffeln sah. Robert fiel ein Stein vom Herzen und sprintete sogleich los!

»Pepper! Da bist du ja! Du darfst nicht abhauen, hörst du?!«, versuchte er dem Hund zu erklären. Pepper währenddessen war mit einem Fetzen beschäftigt, den er am Boden fand und versuchte aus einer Öffnung zu ziehen!

»Was hast du denn da, Pepper? Lass doch den alten Fetzen stehen. Komm wir gehen weiter.« Robert legte ihm das Halsband wieder um machte es diesmal ein Loch enger. Er zog an der Leine, um Pepper zum Weitergehen zu animieren, doch der kleine Hund lies nicht locker. Mit Knurren, Ziehen und Zerren versuchte er den Stofffetzen aus der Öffnung zu reißen.

»Was ist denn das, Pepper?«, fragte Robert und kniete sich neben ihn. Robert half Pepper das Stückchen Stoff zu befreien und blickte auf die Buchstaben, die darauf geschrieben waren.

»HILFE WIR SIND HIER UNTEN« las er laut vor.

»Oh mein Gott!«, rief er. »Das sind sie! Das ist von Jane und Catherine! Sie müssen hier irgendwo sein!« Sein Blick wanderte nun auf den Kellerschacht, indem das Shirt steckte.

»Haaaalllooo!«, rief er aufgeregt. »Ist da jemand? Jane? Catherine? Seid ihr da unten? Haaaalllooo!?«

Nach der Aktion, das Top mit dem Hilferuf den Lichtschacht hinaus zu schieben, waren Jane und Catherine sehr erschöpft und beide lehnten im Halbschlaf an der Wand. Catherine hörte eine Stimme und war sofort hellwach. »Jane?! Hast du das auch gehört? Jane?« Sie rüttelte Jane an der Schulter, doch Jane war schon fast weggetreten. Catherine robbte sich unter den Lichtschacht und schrie hinauf! »Hallo!!! Hier sind wir! Ist jemand da oben?«

»Catherine, bist du das? Hier ist Robert!«

»Na endlich! Ja wir sind hier unten! Jane geht es sehr schlecht! Du musst uns hier rausholen!«

»Was ist mit ihr?«

»Sie ist sehr schwach und sie ist kaum noch bei Bewusstsein! Sie braucht dringend Wasser oder sowas!«

»Ich hol sofort Hilfe! Versuch Jane wach zu halten! Ich bin sofort zurück.« Robert holte sein Handy hervor und wählte Shooters Nummer, um Verstärkung zu holen.

Catherine schleppte sich in der Zwischenzeit zu Jane zurück und versuchte sie wach zu halten! »Robert ist hier! Er hat uns gefunden! Gleich werden wir hier rausgeholt, Jane! Jane, du musst wach bleiben, hörst du?«

»Shooter? Hier ist Robert!«

»Hey Rob, ich wollte dich auch gerade anrufen! Hör zu, wir haben...«

»Nicht jetzt Shooter! Ich hab die beiden gefunden! Sie sind hier im Keller der County Hall eingeschlossen und Jane ist kaum noch bei Bewusstsein! Wir müssen sie sofort hier raus holen!«

Shooter versprach in ein paar Minuten da zu sein und den Rettungswagen zu informieren.

»Cathy? In ein paar Minuten holen wir euch da raus. Der Rettungswagen ist unterwegs! Macht euch keine Sorgen!«

Catherine war so froh das zu hören, dass ihr sogleich Tränen über die Wangen liefen. »Jane halte durch! In ein paar Minuten sind wir hier draußen.«

Robert nahm Pepper auf den Arm und machte sich auf den Weg zum Eingang der County Hall. Oben angekommen, stand ein großes Schild am Eingang: »Wegen Renovierungsarbeiten vorübergehend geschlossen«.

ZWÖLF

»Was soll das heißen, vorübergehend... Hören Sie, es ist wirklich dringend... Nein, ich kann nicht warten... Es geht um Leben und Tod!« Robert war sehr nervös und ging mit dem Handy am Ohr vor dem Eingang der County Hall auf und ab, als Shooter eintraf.

»Ich werde Sie dafür verantwortlich machen! Sie hören von meinen Anwälten«, rief er in das Telefon. Aufgebracht fuhr er sich durch die Haare als er Shooter erblickte.

»Na endlich! Stell dir vor Shooter, die County Hall hat vorübergehend geschlossen und die Tussi von der Notrufnummer hält es nicht für notwendig uns aufzuschließen! Ich könnte die Wände hochgehen. Vielleicht ist Jane schon tot da unten!«

»Mach dir keine Sorgen, Robert. Jay und die andern sind unten am Seiteneingang. Wir haben herausgefunden, dass sich an der Seite des Gebäudes noch eine Tür befindet, die in einen Kellerraum führt. Nach unseren Plänen und Berechnungen müsste der Lichtschacht, von dem du erzählt hast, zu diesem Raum führen! Komm wir gehen runter.«

Schnell liefen sie die Treppen zum Seiteneingang hinab – und tatsächlich. Die Männer haben die Eisentür schon mit einem Brecheisen aufgebrochen und Catherine kam verschmutzt und erschöpft heraus.

»Schnell!«, rief sie mit tränengetränkten Augen. »Jane ist bewusstlos. Ihr müsst sie schnell da rausholen!«

Im Hintergrund konnte man schon das Martinshorn des Krankenwagens hören.

Die Sanitäter hoben Jane auf eine Bare und versorgten sie mit Sauerstoff. Catherine, Robert mit Pepper und Tom, den Shooter zwischenzeitlich informiert hatte, standen daneben und sahen auf die bewusstlose Jane. Sie war schmutzig und hatte Abschürfungen am ganzen Körper. Nachdem sie Jane versorgt und in den Rettungswagen geladen haben, verarztete ein Sanitäter Catherine's Arm.

»Miss Parker, wir müssen Ihren Arm röntgen lassen! Kommen Sie, steigen Sie mit ein. Wir bringen sie ins St. Thomas' Hospital«, sagte er zu Robert und Tom. »Sie können gerne mitkommen, aber den Hund dürfen wir leider nicht mitnehmen.« »Komm Robert«, sagte Tom. »Wir nehmen meinem Wagen und fahren direkt ins Krankenhaus!«

Im Krankenhaus angekommen warteten beide vor dem Behandlungszimmer als Catherine mit einem eingegipsten Arm ankam.

»Schatz! Wie geht's dir?«, wollte Tom wissen.

»Mein Arm ist angebrochen, aber sonst ist alles in Ordnung. Mein Arm muss vier Wochen lang geschient werden, dann dürfte er wieder okay sein. Wie geht es Jane? Habt Ihr schon was gehört?«

»Nein noch nicht«, antwortete Robert. »Die Ärzte sind noch bei ihr. Aber jetzt erzähl uns erst einmal, wie das alles passieren konnte? Wieso seid ihr nicht zu Hause geblieben und wieso wolltet ihr zu mir ins Büro kommen heute Vormittag?«

Catherine erzählte Robert und Tom alles ganz genau. Sie erzählte von dem Bild im Lieferwagen, das Jane wieder erkannte und von den Kerlen, die sie entführt hatten. Sie berichtete von dem dritten Mann, den sie als denjenigen wieder erkannten, der Jane umbringen wollte. Sie erzählte von der Idee mit dem Shirt und von dem Sturz, bei dem sie sich den Arm verletzt hatte und sie erzählte, wie Jane immer schwächer wurde und schließlich das Bewusstsein verlor.

»Ich hatte wirklich schreckliche Angst. Ich dachte, wir kommen da nicht mehr lebend raus.«

»Oh, entschuldigt mich kurz«, sagte Robert und griff in seine Manteltasche. »Shooter ruft an, da muss ich kurz rangehen!«

Als Robert nach draußen ging um das Telefonat anzunehmen, ging die Tür zu Janes Behandlungszimmer auf und ein Arzt kam heraus.

»Sind Sie die Angehörigen von Miss Sparkley?«, fragte der Arzt.

»Wir sind ihre Freunde. Ihr Lebensgefährte kommt in ein paar Minuten zurück«, antwortete Catherine. »Wie geht es Jane denn?«

»Nun gut«, meinte der Arzt. »Es geht ihr soweit gut aber sie ist noch nicht wieder bei Bewusstsein. Wenn Sie möchten, können Sie kurz zu ihr. Aber nur kurz, denn Sie braucht Ruhe!«

»Vielen Dank, Herr Doktor«, sagte Tom.

DREIZEHN

Als Catherine und Tom das Zimmer betragen schlief Jane tief und fest. Ihr wurde eine Infusion gelegt. Die soll sie wieder fit machen, hat der Arzt gesagt, denn mit dieser Infusion soll die fehlende Flüssigkeit wieder ausgeglichen werden.

Catherine strich Jane übers Haar und sagte leise. »Gott sei Dank ist dir nicht mehr passiert, Süße!«

Nun kam auch Robert zur Tür herein und trat zu Jane ans Bett.

»Komm Cathy, wir lassen die beiden alleine. Wir warten draußen Robert!«, meinte Tom.

Robert setzte sich sanft zu Jane aufs Bett und nahm Ihre Hand. Man konnte ihr richtig ansehen, dass sie einiges mitgemachte hatte und das sie erschöpft war.

Robert beugte sich über Janes Gesicht und küsste sie zärtlich. »Ich liebe dich, Jane!«

Langsam öffnete Jane die Augen und sah Robert. Zuerst noch ein bisschen verschwommen, doch ihre Augen gewöhnten sich schnell an die Umgebung. Sie sah sich um und fragte: »Was ist passiert? Wo bin ich?«

»Du bist im Krankenhaus Schatz. Weißt du noch was passiert ist?«

Jane erinnerte sich langsam. »Ja natürlich! Wo ist Cathy?«

»Cathy ist draußen vor der Tür. Sie hat nur eine kleine Verletzung am Arm, aber nichts Schlimmes. Ihr geht es gut.«

»Habt ihr den Kerl gefunden? Ist er gefasst?«

»Ja das ist er. Du musst dir keine Sorgen mehr machen. Du bist jetzt in Sicherheit«, und Robert erzählte Jane alles, was Shooter ihm vor ein paar Minuten am Telefon mitgeteilt hatte.

Der Kerl heißt Bram Abraham und ist gebürtiger Holländer. Die Polizei war schon seit mehreren Jahren hinter ihm her, doch er konnte immer wieder entkommen. An jenem Tag, als Robert auf Geschäftsreise musste, hatte er Jane angefahren, um sie außer Gefecht zu setzen. So verschaffte er sich heimlich Zugang zum Auktionshaus und stahl den Schlüssel für den Tresor. In der Nacht des Einbruchs deaktivierte er das Sicherheitssystem und verschaffte sich Zutritt zum Tresorraum. Er hatte es gezielt auf das Bild von Mrs. Meyers abgesehen. Er hatte die Absicht es auf dem Schwarzmarkt in der Schweiz zu verkaufen und somit eine große Summe an Geld einzustreichen. Die Fälschung lies er anfertigen, um die Polizei kurzzeitig auf eine falsche Fährte zu locken und sich somit noch mehr Zeit zu verschaffen. Als Jane und Catherine das Bild im Lieferwagen sahen, sollte es gerade in die Schweiz überliefert werden. Als die beiden Männer von Abraham Jane und Catherine erwischt hatten, wusste er noch nicht, dass es sich um die beiden Frauen handelt und somit war Abraham zuerst überrascht Jane im Kellerverlies zu sehen.

Shooters Männer haben sich vor der County Hall in Position gestellt und gewartet bis die beiden Männer oder sogar auch Abraham wieder dort auftauchten. Ein paar Minuten nach der Befreiung war es dann soweit. Abraham kam mit den beiden Kerlen zum Verlies und als sie die Tür öffneten schnappten Shooters Leute die drei und übergaben sie der Polizei.

»Und das echte Gemälde?«, fragte Jane.

»Das ist wieder sicher im Tresor und die Auktion kann stattfinden!«

»Gott sei Dank! Aber Robert, woher hast du gewusst wo Cathy und ich versteckt waren?«

»Das musst ihn hier fragen!« Robert zog Pepper unter seiner Jacke heraus. »Er hat mich zu euch geführt!«

»Ach Pepper!«, Jane nahm ihn zu sich. »Du bist mein Held!«